DOMINIQUE LESTEL

LES AMIS DE MES AMIS

ドミニク・レステル

あなたと
動物と
機械と

新たな共同体のために

This book is published in Japan by arrangement with
SEUIL,
through Japan Uni Agency, Tokyo.

目　次

序　論

つまるところ，私たちが発明したものすべて，そして自分自身について学んだことすべてに加えて，私たちには今，すべての犬，すべての鳥，そして私たちが見つけることのできる動物すべてが必要である［…］。人間には友情が必要なのだ。

ロマン・ギャリー　『天国の根』[1]

動物に対してなんの感情も抱かない人間を想像できるでしょうか？　ある衝撃的な小説とそれをはっきりとフィーチャーした映画がこの問題に焦点を当てています。映画『ブレードランナー』で描かれた人間の条件とは，人間であれば誰でも別の生き物に対して抱くこの感情なのです。どのように精巧にできたロボット（物語の中では，「人間の人工複製」はレプリカントと呼ばれています）といえども，そうした感情を抱くことは決してできませんが，まさしくこの感情こそが人間を人間たらしめる指標なのです。このように種を超えた感情という考え方は，21 世紀初頭に現れた主要な思想的展開の一つとなっています。このような考え方の結果からもたらされた感情に理解を示すことは，人間にとって肯定的価値をもったものとしてはっきりと文化としての主張となっています。人間と動物との種を横断した感情，つまり，恐怖，喜び，情動，憎しみ，不安といった感情は，混沌とした自然史によって生成され，時に応じて更新されるだけでなく，さらに長い文化の流れのなかで培われたものです。そのおかげで，人間と動物は多少とも緊密な結びつきを介して，それらの感情を高め，豊かにし，拡張してきたのです。人間とは自らの文化によって自らの自然らしさを強化する存在です。私たちは，非常に強い絆が特定の動物，特に限られた種の特定の個体と私たちをつなぐことができると直観的に感じます。だからといって，それを動物すべてに対する友情と呼ぶことができるでしょうか？　また，私たちは，動物たちが互いに共有する似たような情動に，ここで考え

1　Romain Gary, *Les Racines du ciel,* Paris, Gallimard, 1980, p. 214.

ている感情を当てはめることができるでしょうか？　言い換えれば，友情は，人間同士だけでなく，生きているものすべての間の関係の基本原理なのでしょうか，それとも，人間だけにあるもので，私たちの間だけに使われているものなのでしょうか？

まず，最近まで私たちがしがみついてきた，動物は反射的に動く機械以外の何ものでもなく，それと反対のことを主張する人々は自分の願望を現実と，幻想を事実と取りちがえていると主張する単純な実証主義者の考え方を私たちは忘れ始めています。特に，認知動物行動学は動物の認知能力――驚きを禁じえないような複雑性，その広がり，その多様性――にますます関心を抱いています。しかし，動物が情緒や感情をもった存在であるということは現在の正統的動物行動学がまったく無視している領域です。認知動物行動学の先駆者ドナルド・グリフィンが書いているように，「動物の認知のある重要な側面は，ほとんど注目されていない［…］，それは主体的な意識の問題――動物にとって生きることはどういう意味をもつのかという問いである[2]」。私たちはもちろんいくらでも反例を挙げることができますが，それでも全体から見ればごく部分的なものです。友情のような概念は，依然として動物の知性という未知の世界（*terra incognita*）の一部なのです。「友情」という術語は，この分野でのほとんどの手引書，学術誌，あるいは書籍の中で索引にすら入っていません。

本書は，1995 年に『猿たちの言葉』（*Les Paroles des singes*）によって端緒が切られた探究の補足をなしており，20 世紀末に始まった根本的な大変動にふさわしいもので，また人間存在の様式を根底からくつがえす哲学的人類学を提示することを目指しています。このような哲学は，人間と，自然であれ人工物であれ他の行為する主体に，対峙するのではなく近づくこと，つまり近接（proximité）を主張する見方に基礎を置いています。そして，とりわけ近接の実践がはっきりと見えるようにし，近接のあるべき姿を考え，それの根源的な重要性を評価するように努めます。

二つの根源的に異なった，はっきりと対立する動物の概念が私たちの文化に共存しています。第一は，デカルト主義から受け継がれた機械論的概念であり，それによれば，一連の因果的メカニズムに還元可能であるゆえに，動物は心理学的な囮であり，心理学的な用語でその物質的因果関係を解釈するようにわれわれを導くのです。第二の概念は，動物を，少なくとも部分的にではあっても人間と同じような

2　M. Bekoff, C. Allen et G. Burghardt, *The Cognitive Animal: Empirical and Theoretical Perspectives on Animal Cognition*, Cambridge（Massachusetts）, MIT Press, 2002, p. 471. に引用。

心理学的法則の属性をもっているものと見なすというものです。この立場では，たとえば，動物は実際に苦痛を感じています，そして動物が表現している苦痛はそれを観察している人間の単純な解釈に帰することはできないし，ましてや統制しにくい感情の投影に帰することもできません。動物の行動は，基礎にある動物の心理学的な過程を遡及することによって満足のいく説明ができるでしょう。この二つの考え方は見かけ上たがいに遠く離れてはいますが，動物を見る自然主義的な立場は同じです。動物はどのように記述されようとも，どちらの立場でも同様に，記述上の制約とは無関係に記述することができるでしょう。

私はこれら二つの観点に抗して，第三の考え方を対置したいと思います。この第三の考え方は，自然主義者としての役割を拒み，動物をむしろ人間との意味のある共同体を構成することができる生きる存在として特徴づけ，生物学的または心理学的というよりも論理的な視点の採用を考慮できる考え方です。動物というものはいつも人間との関係において理解される必要があり，動物と人間を結びつけているものの理解が動物の本当の理解につながります。極端な場合には，このような信頼関係はほとんど意味をもちませんが，動物との信頼関係は想像や推測でしかなくても動物を考える理由としていつでも存在すると考えられています。この考えは欠かせません。人以外との友情といった現象は厳密な機械論では意味をなしません。動物は機械ではない，少なくとも日常的にある機械とは違う，ということを前提にして論議をしたいと思います。

1章

動物－機械

しかし，多くの心理学者は，人間の行動に従うことで自分たち類人猿の先祖の名誉を毀損することになる，そういうチンパンジーをあくまでも見つけようとしているように私には思える。

ノーバート・ウィーナー
『サイバネティックスと社会』[1]

デカルトは『方法序説』の5章と『ニューカッスル侯爵への手紙』の中で動物－機械論を述べていますが，デカルト主義者のマールブランシュはより分かりやすく書いています。

> 動物－機械論の古典的な考えはデカルトにその起源がある。動物を機械であるとすることは，その信奉者が信じているほど単純明快なものではない。そもそも，機械論者の動物観には多くのさまざまな考え方が存在するが，そのすべてにおいて概念的に十分なものは見当たらない。現実にある機械と仮想的な機械をたえず混同し，まず動物機械ということを表明して，次にそれに考察を加え，それを機械であると結論づけるという悪質な循環論を頻繁に駆使するのである。これらの議論には，動物を機械ではなく行為する主体として見なすような議論と同じくらいに，社会的，心理学的，認識論的な多くの説明努力が必要となる。

1. デカルト主義は過剰に合理的であると多かれ少なかれ信じこんでしまっているため，動物－機械論を主張するデカルト主義の妄想的な側面は無視されています。でもデカルト主義者たちを原理的合理主義者として見なすのはまったくナンセンスなことです。彼らは非常に錯乱しており，教条主義者で，可愛気がほとんどありません。特に動物－機械論を擁護するときに不適切な推論が溢れる如く湧き出てきます。17世紀のデカルト主義の偉大な伝道師の一人であるルイ・ドゥ・ラ・フォル

---

1 Nobert Wiener, *Cybernétique et Société*, Paris, UGE, coll. « 10/18 », 1971, p. 226-227.

ジュは，1665年に出版した『人間精神論』（*Traité de l'esprit de l'homme*）[2]の中で面白いことを述べています。もし神が犬とすべての点で類似している機械を作ることができるとして，誰がそれを疑うでしょうか？　そしてさらにこの二つのうちどちらか，すなわち，動物とその機械の間にまったく違いが見出せない反デカルト主義者には，つまり犬は機械であるしかない。あるいは，違いが分かるとしても，その違いを記号――これは言語でしかありえない――にしか翻訳することができません。ところで，この動物には制度上の記号というものはまったく見て取れません。話しもせず，理性を有しないとしたら，それは機械ということなのです。あらゆる点で白い円と同じ白い円を想像してください。それは白い円でありしたがって円であるか，それが正しくなければ（白い円でなければ），それは円ではなく四角でなくてはなりません。それゆえ，それが四角でなければ円ということになります。以上，証明終わりというわけです。

デカルト主義の哲学者ジャック・ロオーは『哲学の会話』（*Entretiens sur la philosophie*）[3]の中で同じ機械論の論点から，別な偏った議論を援用します。10個の部品で構成された時計でできることを考えれば，かくも多数のさまざまな部品で構成された機械にはどんなことができるでしょうか？　対話相手はとりあえずそれを認めて，ところで腕時計はネジを巻きますが，われわれは今まで犬のネジを巻いたことがありますか？と問います。すべての機械は同じやりかたでネジを巻くのではありませんと，ロオーは答えます。そして自分が犬に水と食べ物をやることは犬のネジを巻くことであると。このような推論は根拠がなく悪質です。ロオーは，実在する機械とその類推からの外延を最初から混同しています（時計にあることが犬に起こると考える）。さらに蓋然的なものと現実を混同しているのです（起こるかもしれないことが起こるとは限らない）。そして眩暈がしてくるような結末に至ります。動物に食べ物をやることが動物のネジを巻くことに相当すると。実を言うと，ここまでひどくはなくとも，当時は病院送りになった人たちはいます。

2. 動物－機械を単純なロボットへ還元することは，動物の機械論的概念の多様性を十分に考慮していません。動物－機械論の伝統から生じる議論は多様化しています。純粋に思弁的，論争的なデカルト主義以外にも，さまざまな行動主義があります；たとえば，パヴロフ主義，ワトソン主義，スキナー主義，多様な新行動主義，散逸構造（開放系）の理論（ジャン＝ルイ・ドヌブール），複雑性理論（ガイ・テロ

2　L. de La Forge, *Traité de l'esprit de l'homme*, chap. 4 *in* L. Ferry et C. Germé (éd.), *Des Animaux et des hommes*, Paris, Le Livre de poche, 1994, p. 30 *sq.*

3　Paris, 1671, 第三の対話

ラス）などなどがあります。認知科学やゲーム理論（ジョン・メイナード・スミスやロナルド・ノエ）に基づく数理経済学を加えることもできます。これらの理論が興味深いものであることは否定しませんが，動物が何であるかを明らかにするには不十分です。

3. 上に挙げたすべての立場において，そして利用可能な機械論的アプローチの数多くある多様性の中で，機械と見なされる動物は，多種多様なメカニズムとか，因果関係の裏づけとか，そして心理的な満足などという言葉によってのみ説明できると考えられています。この最後の心理的に満たされるというのは，動物－機械論が議論されるときには決して持ち出されるものではないのですが，デカルト理論の核心で，それを肯定するには不可欠なものです。デカルト主義者やポスト・デカルト主義者を特徴づけるものは，その合理性ではありません（むしろ，自己満足が彼らの特徴です。病理的とでも言えるような兆候がないわけではない自己満足です）。むしろ機械論者の特徴と言えるのは，生命への直観に対する洞察を極端に無視し，動物に対しては反直観的であり，しかもその説明の段に至っては悪名高い不十分な概念を持ち出したままで納得していること，さらには生き物とは何かについてより精細な意識をもっている人たちに対抗するために彼らがとる相手を見下すような悪意ある説明の展開の仕方なのです。このようにデカルト主義者は，自分が動物について与える素朴な説明でたちどころに悦に入ってしまうように見え，他の者であれば誰でも，でたらめとまでは言わないにせよ，根拠がないと見なすような結論を，あまりにもやすやすと受け入れてしまうような人物として現れるのです。単純に過ぎる実験を選び，自然観察を攻撃的に拒絶することは比較心理学におけるデカルト主義を特徴づけています。現代の認知主義者は，軍隊のように不寛容で，しかも一見するとまっとうで厳格に主張された知的立場にあるように見えるデカルト主義に当然のごとく追従しています。

この常に繰り広げられる観念的な攻撃は，不明確な仮定に基づいているにもかかわらず明確なものだと考えられています。たとえば，動物－機械は，現実の心理的世界をもった動物よりも単純かもしれないなどと言うように。あるいは，わずかでも疑念が生じた場合，動物－機械の概念で済ませておけば，常に妥当であるかまたは合理的だとかです。動物は，程度の差はあっても複雑な物理現象（動物－機械論の強いバージョン）に，あるいは物理的現象と生物学的現象の収束（弱いバージョン）に，あるいは物理的現象と生物学的プロセスと複雑系の組み合わせ（未来バージョン）に完全に還元できるものなのでしょうか？　デカルト主義者とは，もともと動物に驚きを感じることなど顧慮しない人たちとして特徴づけることができるでしょう。もっとも寛大に見たとしても，それは心理学的特徴としては驚くに足るものです。より具体的には，デカルト主義者は，私たちが動物によって感じる驚きのすべての影響を動物を強制的に入れる実験装置によって打ち消す状況を必要とし，その驚きを「擬人化という投影」であるとか，「無意味な逸話」であるとか，または「俗っぽい感傷」などのような言い方で表現するのです（これは専門家の方法論的な厳密さとは相容れません）。デカルト主義者にとって重要なのは，反デカルト主義者の言うことを心理学的弱点によって批判することです。しかるに，彼らが身につけている論証のための知的装備の欠陥に盲目であるばかりでなく，自分たちの存在自体にすら気がついていません。デカルト主義者は論証の結果が普遍的であることを求めているので，その知的装備が研究者の介在なしにあったことを前提にしているのです。

4. 動物－機械論は中立的で一貫性があることとはほど遠いものです。そのうえ，法外な手間暇がかかっています。動物－機械のアイディアは動物の機械化につながります。これらにはさまざまなものがありますが，一般的には，動物を大きな機械装置の中の特定の部品と考えます。井戸の水汲み水車を動かす牛は，農業におけるその動物－機械の第一番目の例です。パヴロフの犬は，より科学的な二番目の例です。条件づけのためには，犬を固定して，動かない状態にする必要があります。パヴロフ以前のクロード・ベルナールと同じように，パヴロフが関心をもったのは心理学的機構としての動物であり，それ以外の何物でもありません。ワトソンの迷路におけるネズミはこの動物－機械を表現する三番目の例で，動物を行動させる行動機構というふれこみです。スキナー・ボックスの中のハトはさらにもう一つの例です。これらすべての場合において，動物は動きや自主性をかなりの程度制限される非常に強制的な技術的装置の中に置かれています。結局のところ，事前に動きを奪われているので動物は完全に自主性を欠いており，純粋に機械的な方法で行動するしかありません。分析の結果分かることは，結局のところ当たり前なことになります。行動主義者の実験は服従の実験であることを常に忘れてはなりません。動物を「機械化」することを目的とするこの理詰めの演出は，最初から動物の強制的で拘束された調査が目的ではないとする一方で，そうした調査のすべての状況を否定するわけでもないという，言わば矛盾する目的をもつ論争の認識論を用いることによって完成されています。デカルト主義とは如何なるものかという説明の折に指摘したことですが，逸話や擬人化という概念は，現代の研究においても依然として不可欠な役割を果たしています。今日でも動物行動学や比較心理学で主流である動物研究における物理主義は，すべての個々の行動を物理的な運動に還元するという概念的なものであると同時に，すべての真正の科学は，物理科学の再現性をモデルとする認識論的なものであることに注目するのは興味深いところであります。動物－機械論を展開する人たちの拠って立つ信念は，少しも解釈を必要とせずに，動物を完全に理解できる可能性があると考えることです。コンラート・ローレンツやニコ・ティンバーゲンのいわゆる古典的動物行動学《エソロジー》は基本的に機械論でした。当時の教科書には，複雑な因果関係（通常は回路内）を説明するための矢印だらけの分かりにくい図式がたくさんあります。エソグラム（行動目録）はこの機構的理解の究極の姿です。その根底にある考えは，各行動が均質で確固たる行動単位に分割できることを想定しており，その全体は徹底的に観察される動物の過去，現在，そして未来の活動を網羅するものでなければならないというものです。

5. 内容的には，動物－機械論は，私たちが普段信じているよりもはるかに複雑です。それを唱える人の戦略の一部となっているのですが，動物を機械と見なすことは単純で現実主義的で明白であると思わさせられます。それにもかかわらず，非常に問題の多い一定数の仮定に基づいたままなのです。動物－機械論の推進者は，動物が単に機械だと言うだけでなく，さらに，既知の概念を機械にしたものだと言うのです。動物－機械論でいう機械は基本的に二つの非常に異なるタイプのものです。概念としての機械と，実際の機械です。議論に引き出される動物－機械論の機械の一部は，純粋に説明のためのものとしてのモデルであり，抽象的な機械です。デカルトはとりわけ概念的な機械を論じているのに対して，後継者たちはむしろ実際の機械の方を俎上に載せていると考えてもいいかもしれません。このような違いはあっても，動物－機械論は，動物の機械的概念から説明できないものはないと決めています。言い換えれば，動物は部分に分けて理解するのではなく全体として説明すべきなのだと言うのです。動物－機械論は動物の本性だけではなく，むしろ人間が動物と関わることの議論だと言えます。動物が機械であるからと言って，必ずしも動物が機械として理解され，扱われなければならないということでもないのです。このように読むとすれば，動物－機械論の議論の中で技術者の心を常にわくわくさせる発想が理解できます。すなわち，動物の概念そのものはほとんど議論されず，最終的には関心もないということです。動物－機械論の重要なポイントは，動物との唯一の合理的な関係は動物の利用方法を習得する純粋に機能的関係を保つことであると，私には思えます。

6. 動物と機械の間の相関は，18 世紀以降に増えてきた「動物的機械」（machines animales）から発しています。グレー・ウォルターのカメやウィリアム・アシュビーのホメオスタットは，そのような人工物の有名な例です。アシュビーのオートマトンは生命の模倣です。生き物の内部と外部の双方の感性を模倣しています。しかしながらこの模倣はあくまでも生命のモデルなのでしょうか，それとも生命らしさを想起させるものなのでしょうか？　モーリス・メルロー＝ポンティは「ウォルターのカメの機能はカメ自身のためのものではなく，それを見る者のために設計されている[4]」と言います。このフランスの哲学者は，生命現象の再現のためではなく，生命を印象づけるための工夫が作者によって取り上げられていることが分かるという非常に興味深い見方をとりました。

「動物的機械」は，つまるところ心理的に動物をまねる人工物です。つまり，それを見る人間に生きていると思わせることができます。デカルト機械のこの有名な心理的側面のために，最終的には疑わしい点などないという確証を得ることになります。1930 年代にベルギーの現象学的心理学者であるアルベール・ミショットは，一つの光点を追いかける別の光点の動きといった物理現象が，それを見る者にはまるで生きているように見えることを示しました。

動物が機械である瞬間から，過度の後めたさなしに動物を機械のように扱うことができます。なぜ機械の健康を心配する必要があるのでしょうか。そして，その動物が人工物のようなものであると思えば，より効率的になるかどうかだけを考えて，外部の技術的な装置にそれを組み込むことは合理的なのですから。

7. 動物－機械論はいくつかの面で衝撃的です。概念としては不安定で，倫理的にも精神的にも嘆かわしい結果をもたらします。それはさらに経験的には，動物－機械論が説得力をもつにはいくつもの知的アクロバットをこなさなければならず，しかもその知的アクロバットは必ずしも支持されるものとは限らないのです。

デカルトの動物－機械の理論は，十分な議論を経ることなく，当時の原始的で単純な機械的構造を，その性質がまだ控えめに言ってもあいまいなまま動物に当てはめたことから生じました。動物－機械論は，まったく別な性質の，依然として理性には手が届かないような答えを必要とする複雑な問いに対して，単純で（単純化された）誤解を招く答で応ずるという大きな利点がありました。動物や機械と違わないとしているので，動物の市民権などという問題は発生しません。時計と織機を選ぶわけですから！　動物の過激な隷属化は，動物についてのある表象に基づいて発達しました。その表象によれば，動物は感情ばかりか感覚すらも奪われた人工物と同一視され，理性をもたないその存在は，純粋に機能主義的な道具的合理主義と

4　M. Merleau-Ponty, *La Nature. Notes et cours du Collège de France*, Paris, Seuil, 1995, p. 215.

いう強制収容所まがいの罠にはめても大過あるまいとされたのです。

何も理解できないという単純な理由から，人間は動物を理解しようとする気を起こすことはまったくありませんでした。本当に動物を知っている人々（特に農民，飼育業者，ハンター）の姿が見えていないわけではないのですが，デカルト主義者のものの見方の基となっている寛容さに欠ける考えと過激な反啓蒙主義によって，この新しい知識人（デカルト主義者）の目には，このような動物の専門家を一顧だにすることなく，ましてや伺いを立てるような相手ではないと映っていたのです。知識人は常に農民を軽視してきました。農民の側も同様です。ただ時期によっては対立はより微妙なものでした。

キース・トーマスは，自然誌研究が進展するには，いかに大衆の知識に依存していたかを指摘しています[5]。彼はチューダ朝時代の鳥類学者であるウィリアム・ターナーが小鳥商や家禽商に頻繁に通っていたと述べています。私たちが最初の植物専門家であると思っている植物ハンターのトーマス・ウィリゼルは，初めはいわば植物の知識が何もない兵士で，民間治療師や接骨師たちのもとに通っていたのでした。鳥の挿絵画家であるエリゼー・アルビンは，ロンドンの小鳥商へ問い合わせて，自身の描いた鳥の種を同定しました。最初の植物学教授であるウィリアム・カーティスは馬手厩務に携わっていました。私たちはこのような例をさらに知っています。イギリス動物行動学を設立したウィリアム・ターナーは，鳥そのものと同様に家禽に関する知識にも興味をもっていましたし，博物学者たちがまだ知らない野生のカモの希少種を同定していた小鳥商や家禽商達とも足しげく交際していました。

これらの動物の知能に真剣に興味をもった人すべてが，デカルトの機械論への無条件な支持者であったわけではありません。インドで 17 年間熱帯昆虫を観察したヒングストン少佐は，昆虫が反射で動く一種の機械に過ぎないとの考えを容易には受け入れませんでした。この小さな動物の能力を示すために，このイギリス将校はフンコロガシの記載をしました。糞の玉はイバラにひっかかります。フンコロガシは玉を二つに分割して運び，その後，また一つの玉に成形します。この能力はスズメバチ（*Mellinus arvensis*）の能力を連想させます。このスズメバチは牛糞の上に仰向けに横たわり死んだふりをするのです。そして，ハエが近づくと，ハチはいとも簡単にハエを捕まえます。ヒングストン少佐は，昆虫が今まで経験したことのない事態でも，目的の達成のために臨機応変の即座の行動をとると主張します。このスズメバチは，巣穴よりも大きな獲物を運んで来た時には，獲物と穴の間の往復

5　K. Thomas, *Dans le jardin de la nature. La mutation des sensibilités en Angleterre à l'époque moderne*, Paris, Gallimard, 1985, p. 93.

を繰り返し，少しずつ穴を拡げていきます。このような観察から，ヒングストン少佐は昆虫の精神（行動様式）と人間のそれの間に明確な境界を線引きすることはできないと主張します。デカルト主義者は，昆虫の知能が細胞の知能と関係があるとの主張に反対する機会を逃しません。その信念はまったくの思いつきです。トゥールーズのマルタン・ジウファのように昆虫の脳に真剣に興味がある人は，人間の脳と昆虫のそれとの間の壁は私たちが考えているより高くないことに気がついています。ミツバチの脳は，単純な機械よりも哺乳類の脳に近いのです。細胞が実際に知的に振る舞う可能性を真剣に考える前に，昆虫は一個の細胞に過ぎないと，なぜ結論づけてしまうのでしょうか？

知的および科学的伝統は，デカルト主義が主張するものと比べてより洗練された動物のヴィジョンを提案しており，それらはデカルトの機械モデルからかなりかけ離れています。私たちは，有機体論的な生物学の中で動物を考えることを，そして生命とコミュニケーションは等価であると見なし，意味を解釈するものとして動物を認識する生物記号論的アプローチを，動物に本物の理性の少なくとも端緒をためらうことなく認めるアプローチを，そして最後に，動物には少なくとも部分的には意図性と意思決定の能力が備わっているとする考えなどを挙げられるでしょう。たとえば，発達心理学の先駆者であるアーノルド・ゲゼルは，動物－機械論の根本的な矛盾を激しく批判しました。彼は生物の行動を有機体の発生として考えたのです。行動は，各要素の集まったものではなく，行動と姿勢，行動を起こすための態度と準備の間の微妙な平衡として理解されなくてはなりません。モーリス・メルロー＝ポンティがゲゼルに対してコメントしています。「行動の獲得は舌《ラング》（＝言語《ラング》）を身体とする言語活動の獲得と等価である[6]」。ゲゼルにとって，身体という組織とその行動を分離する境界に明確な線を引くことは難しいということになります。睡眠さえも行動の一つとされました。それゆえ，動物は機械ではありえません。ゲゼルはさらに，動物－機械論に反対して，動物には燃料と機械の区別がなく，形態や全体性が生き物の基本的な特徴であること，行動は生物が内部の組織によって統御された事象の組み合わせでできているのではなく，未来に対する準備機能や内因性の自発性との関係でしか理解できないと述べています。つまり，行動を単なる機能の構築物として記述することは困難であり，むしろ誤っているのです。

ヤーコプ・フォン・ユクスキュルも動物－機械論に強く反対しています。特定の動物が「機械の外観」をもっているからといって，実際に機械であるわけではありません。非常に原始的な動物でさえも機械と見なすことはできません。アメーバ

6　M. Merleau-Ponty, *La Nature, op. cit.*, p. 196.

には臓器が定義されていませんが，偽足があり，常に状況に応じて再生しています。私たちはアメーバを真面目に「流体機械」として見なすことができるでしょうか？すべての既知の機械とは対照的に，アメーバの機能と生成の間には明確に識別される違いがありません。技術者の観点から見ると，これは不条理です。アメーバは技術者にとっては「超機械的な規範」を示しています。フォン・ユクスキュルはまた，ある種の挑発を込めて，「アメーバは馬よりも機械的ではない」と言い放ちます。フォン・ユクスキュルによれば，機械仕掛けの動物は形態形成および繁殖という生物の二つの本質的な特性を欠いている「不完全な有機体」です。それぞれの動物を，繁殖，栄養摂取，捕食者からの逃避といったレベルに留まらず，体と行動によって同じ課題の完全な解決を表現する機械と見なすことは不可能です。フォン・ユクスキュルにとって外部世界は，何かの原因をもたらす世界ではなく，生物の記号の世界なのです。

　動物－機械について話すことは，虚構の動物が，すべての動物を代表して動物が何であるかを示すと考えられた時だけ妥当となります。この虚構の動物はダイナミックスが固定され，ある一定の時期の成体として捉えられた動物です。動物－機械論は，成長し，遊び，休息し，好奇心をもち，絶えず人間の観察者を驚かせる動物を考慮に入れることができません。私たちはいつでも遊べるように設計された機械を作ることができますが，それは遊ぶべき活動の生得性を備えた機械ではありません。この観点から想定されている動物行動学の検証状況については，非常に注意する必要があります。動物が機械であるということは，動物行動学者が動物を機械として記述しているからではありません。それはむしろ，動物行動学者がそう説明している動物を機械であると信じているからです。生物がロボットであるかのように特定のレベルで記述できるからといって，それが実際にロボットであるとは限りません。これは，動物－機械論のすべての支持者が犯す誤りです。彼らは動物をロボットとして満足できる方法で一定レベルで記述できることで満足して，そこで終わりにします。彼らはまず他の付加的説明が関与することなく，つまり，動物がロボット以外では考えられないことを証明しなければなりません。実証主義者はその推論において厳格であることはめったにありません。彼らの強迫的に主張される厳格さはまさに修辞的なものです。動物－機械論を擁護することは，きわめて難しい理論的なプログラムであって，そもそも，それを主張する人々はそのことにほとんど気づいていません。そのプログラムは，動物が機械であることを主張することと同時に，動物の一連の行動とその過程が自動化されていることを示すこと，すべての関連する現象と一連の過程を厳密に限定して動物を説明すること，人間が動物を研究する理論を擁護すること，最後に，そのアプローチに一貫性が保たれ，遭遇する困難に対しては変節しないということです。動物－機械の説明は，この必要な証拠のリストにも，上に列挙した五つの条件にも決して適合しません。

8. その概念の不十分さにもかかわらず，デカルト以来，動物－機械論の形象は私たちには悩みのたねでした。反動的なソルボンヌの学風のなかでは忘れられた存在ではありますが，先見の明のある夢想家のジャン・ヴァールは，生命を機械的なものに還元しようとする欲求と，生命に特別な地位を与えようとすることへの拒否とによる，生命に対する敵意と病的なまでの不信感にまさに注目します。「機械論の領域を広げ，物質的なものすべてを思考から切り離すことによって，デカルトは人間以外の生物を純粋な物質の領域に置くようになるのである。そこから生まれたこの動物－機械論によって，生命の概念に特別な重要性を与えることへの不信感が表明されている」[7] と言うわけです。しかし，動物－機械論の問題は，その理論的な矛盾だけではありません。より深刻なのは，この理論が正当化し，許容する数々の認めがたい行動なのです。

9. 20 世紀には，ある種の動物の人間化は，他の多くの動物，特に機械化によって人間に従属している動物の境遇の退化を補うことはほとんどできませんでした。動物－機械論が信憑性を失った瞬間に，まさに動物は機械になり，人間は動物を機械に作り変えます。特に動物－機械論のある局面には十分な注意が払われていないところがあります。動物－機械は，機械として機能し，それ以外はありえない動物であるだけではありません。それは機械として作られた動物でもあるのです。動物－機械は何をおいても人工物と等価であり，作られた物として扱うことができます。しかし誰によって作られたのでしょうか？　デカルトは，何人かのデカルト主義者がその可能性を信じていたとしても，人間が自分の技術によって動物を作ることができることに疑いをもっていました。彼は人間の視界の外にあるものでも，神の視界の外にあるわけではないと信じていました。動物－機械は神によって作られたものなのです。この仮説によって，デカルト主義者はエルンスト・ヘッケルが人類主義（anthropismus）[8] という言葉で非難する間違いに陥ります。このドイツ・ロマン主義の生物学者は，人類主義という新語を，神を一種の技術者，神聖な建築家，あるいは計画に従って作品を作り上げ，それを英知をもって差配する宇宙の芸術家と

7　J. Wahl, *Tableau de la philosophie française*, Paris, Gallimard, collection «Idées», 1962, p. 23.

8　E. Haeckel, *Les Énigmes de l'univers* (1899), trad. fr. C. Bos, Paris, Schleicher, s.d., chap. 1 et 13, et *Systematische Biologie*, Berlin, 1896, t. III, p. 646-650.　P. Tort, *Dictionnaire du darwinisme et de l'évolution*, Paris, PUF, 1996, p. 92. に引用。

見なすような，宗教と宇宙のあるべき姿を示すものとして使っています。もし，神が超技術者であるとするならば，人間は神の下の技術者ということができます。

動物－機械論は19世紀以来大きな変革を遂げたのですが，一般的には無視されていて，主題として議論に登場することはありませんでした。動物－機械論は話題とされる経験を経なければ認識されることのないア・ポステリオリなものなのです。動物が機械でないとしても，動物は容易に機械に変換されます。人のことを狂人だと決めつけてしまうように，動物は機械と言われるものとされてしまうのです。動物に対するこのような無謀な企みは今に始まったことではありません。檻に入れた飼育法はよく言われるような最新の発明ではありません。エリザベス朝時代にすでにあったその痕跡を見ることができます。牧畜の工業化だけがその原因ではありません。今日，私たちは神聖な動物を失っていません。私たちはそれを調べる様式を変形しただけです。生贄の動物の内臓で未来を占う儀式は確かになくなっているとしても，未来を占うための動物は実際にすべてがなくなっているわけではありません。そのような動物は薄暗い裏庭や忘れ去られた寺院ではなく，製薬会社の研究室でかくまわれています。白衣を着た占い師は人間にとっての製品の有害性を判断するために，動物たちを苦しませ，死なせる準備をしています。生贄は私たちの最も現代的な慣行の中心にまだ残っています。今までのところ生贄を使う理由は合理化されています。それは製品の危険性を理解し，人間の健康状態を改善するための必要悪だと言われます。このことは確かに特定の実験では当てはまりますが，どの実験がより適切であるかを決めることが重要です。猿たちの感覚剥奪の実験（特に，赤ちゃんの猿を母親から離してケージ内に隔離しておくこと）で，多くの猿を拷問にかけたハリー・ハーロウの有名な実験についてのヴァンシアヌ・デプレの有効性の評価はきわめて適切です。「ハーロウの研究は，サルたちの『愛着を取り除く』という科学の名の下での単一の能力を確認しただけで，人間についてまだ知らなかったことは何も教えてくれなかった。この研究では，アカゲザルについて何も新しいことは教えてくれなかった。この長い研究の中で多くのサルが使われたにもかかわらず，この研究の後に，サルについてすでに知っていた以上のことは何も分からなったのである」[9]。しかしハーロウの研究はまったく無駄であったわけではありませんでした。ハーロウの研究は，迷走するデカルトの方法的懐疑が方法論として醜悪なものに至るという倒錯，政府機関が不要で不確実なプロジェクトに資金を提供しがちであることと，オリジナルで革新的なプロジェクトを見落としてしまうことの言い訳となっています。

9　V. Despret, *Quand le loup habitera avec l'agneau*, Paris, Les Empêcheurs de penser en rond, 2002, p. 123.

10. 動物心理学の実験室で行われていることに疑念を抱くことは，動物心理学の中の実験原理を否定するものではありません。逆です。質の高い研究の割合を高めるために，大学での実験のあり方を見直すときがきたということです。フレデリック・ワイズマンの映画『霊長類』は，アトランタのヤーキズ霊長類研究センターの研究についての見るに堪えない記録ですが，ある時代における動物実験の悲惨さをほぼ正確に示したものとなっています。解説がまったくないのですが，そのことが類人猿の日常的な性行動に関する研究を撮影した実験の残酷さをさらに際立たせています。私たちにはそこで起きていることの大部分が理解できませんが，これらの大型類人猿に対する人間の行動の唾棄すべき側面に関する知識は本当に必要ないということを，すぐにある種の怯えをもって理解できるのです。問題はむしろこれです。なぜ研究者自身それが分からないのか。分かっているならなぜまだそのような活動に固執し続けているのか？　霊長類は，すべてにわたって劣悪で殺風景な檻（刑務所）の中に住んでいます。さらに一日中動物と対面して実験する研究者には感情が欠如していますが，研究所のスペースはそのため鉛色をしているかに見えます。一部の女性技術者が，動物の赤ちゃんや小さな子どもと遊んで，少なくとも最低限の愛情を示すということが仮にあったとしても，動物－機械は決してその名にふさわしくはありません。このような文脈でセクシュアリティを研究することは，ワイズマンが見事に注意深く撮影した舞台設定の猥褻さをさらに際立たせます。このような舞台設定の状況では，動物の**拘束時間**の考慮は絶えず否認されますが，こと**反応時間測定**は病的偏執と言えるほどにまでしつこく行われます。ここでは，動物はもはやデカルト主義者が夢見た時計ではなく，内部で時間が進行し，研究者の病理的な意思を表明するように組み込まれた時間の制御機構なのです。動物-機械はその本来の姿，**組み立てられた動物**，すなわちオートマトンに変身させられた生き物として現れるのです。ここで何が研究されているのでしょうか？　本物のサルでしょうか，それとも不条理と苦悩の怪物じみたサイボーグでしょうか？　それに提起された質問とそれに伴う議論は冷淡で非人間的なものです。それらの質議はもっぱら設置すべき機械装置に関するものばかりですから。射精させるための電子装置に動物をどのように固定するか？　オスのゴリラは何回メスと性交するか？ここで言う科学のなかでこれほどあからさまなポルノ的逸脱はありません。撮影されたシーンのいくつかは，H.G.ウェルズのモロー博士やサド侯爵に似つかわしいもののように思えます。一例を示すと，技術者が手術を受けたばかりの雌をケージに連れて来る時，すべてのサルたちは自分たちのケージの前の格子にぶら下がり，通路へ向けて声を限りに叫びます。別のシーンはさらにグロテスクです。研究者が飲み物に集中させながら，長いプラスチックチューブでチンパンジーにマスターベーション行為を施します。すべての喜びとすべての遊びが排除され，そんなものがあったということすら忘れられているような（ひどくつらいことですが，研究者までがそうなのです）環境の中で，何を証明することができるのでしょうか？　どのようにこれらの研究所を強制収容所に変えるまでに至ったのか，あるいはふと思ったのですが，実験室こそが強制収容所のインスピレーションを与えたのかもしれません。少し誇張が過ぎました。研究者と動物の関係にひとつもサディズムは存在しません。それどころかそれ以上の最悪の事態です。動物は，機能的な手順が踏まれるべき純粋なメカニズムとして認識され，指示されます。動物に対する近代的な実験は，ここでは猥褻な超機能主義であることが露呈するのです。

これらの行動を調べる実験から，わずかな思いやりで取り出せるものがあるでしょうか？　何もありません。感情というものは，それが厳格に否定されたり根絶されたりしなければならないほど煩わしいものなのでしょうか？　条件設定の生真面目さは，たまたまなりゆきでそうなったわけではなく，元々そうなることが目的なのです。西洋科学は自分自身の真似から始まりましたが，霊長類を対象とした実験についてはまさに「猿真似」という言い方が当てはまります。西洋科学はそうした実験を思いつき，実験の実施条件とは，自分たちの知性の適切な働きを犠牲にしてはじめて受け入れられると考えたのでした。つまりこうした条件は，ある種の無頓着から生まれたものなどではなくて，真の科学とは禁欲（austérité）とフラストレーションを要求するのだという断固たる意志の結果なのです。きわめて少数の研究者が実験動物におとずれる非難されるべき状況に抗議の声を上げるとき，彼らは想像を絶する攻撃を受けました。ワイズマンの映画の最も恐しい側面は，提示される状況の凡庸さにあります。そこに登場する研究者はサディスティックな精神異常者や社会の周辺にいる変質者などではなく，ただキャリアを求め，名声と大学での地位を手に入れようとするきわめて普通の研究者なのです。私たちはここで，悪の日常性についてのハンナ・アーレントの恐るべき表現を思い出さざるをえません。そして私たちは，ジェーン・グドールが，ロジャー・フーツの著書，『チンパンジーの学校』の序文で何を言いたいのかを理解できます。「私たちは，ユニークな性格，知性，そしてユーモアのセンスをもつ何百ものチンパンジーが太陽や遊びから永遠に隔離されている地下の陰気な実験室を一緒に見学した。私たちは，これを忘れることも許すこともできないだろう」[10]。

動物実験に対して起こされた疑問は無数にあります。二つの態度が動物実験に関する議論で頻繁に採用されますが，とうてい受け入れられるものではありません。

10　R. Fouts (éd.), *L'École des chimpanzés*, Paris, Jean-Claude Lattès, 1998.

それがただ間違っているというだけでなく，どちらも根本的な問題を回避し，場違いなメロドラマ調を取り入れているからです。第一の立場は機関研究者のもので，動物実験は人命を救うために不可欠であり，実験に対するすべての批判は潜在的に犯罪となると言うもの。これは部分的には正しいのですが，人命を救うか，あるいは人間以外の生物では実験しないかというのは，必ずしも議論の対象とはならない，議論不適格な反論です。第二の立場は「動物解放者」のもので，動物に対する実験はすべて重大な犯罪であると言うものです。動物に対する特定の実験を避けなければならないということは，必ずしもすべての実験が無差別に禁じられなければならないということを意味するものではありません。数年前に人類学者のマイケル・リンチが示唆したように，私には生贄という考えは意義深いものがあります。現代の動物実験の研究の多くは少なくとも部分的には生贄の犠牲の儀式に類するものです。なぜ生きていることを理解するために動物が必要なのでしょうか？　なぜなら，すべての知識は，それが本物であろうと象徴的であろうと，これが太古の昔以来，何かを死に至らしめることを促すからなのです。リンチの立場からの関心事は，あらゆる知識の代償について考えさせる点にあります。私たちは何の理解のために，何の対価を動物に支払わせる準備ができているのでしょうか？　私たちが自分たち自身を知るために他者に支払わせる準備はありますか？　たとえこれがこのアメリカの人類学者によって明確に提起された問題ではないとしても，それは彼が示したことから自然に当然のことながら出てきたことです。特に，これら実験のとりわけ知的な対価は何でしょうか？　これらの実験が私たちに知ることから遠ざけているものとは何でしょう？　実験は私たちが何を理解するのを根本から禁じているでしょうか？

11. 本書では，ベルギーの哲学者ヴァンシアヌ・デプレによって最近提唱された「厚意の原則」を補足するものとして，私が「思いやりの原則」[11]と見なす方法論的な原則を採用したいと考えています。「厚意の原則」は動物の知性を研究するために唯一正当なアプローチは，できるだけ動物が興味を持つようにしようと努めることだと考えています。まったく同様に「思いやりの原則」は動物に最大限の権限を帰属させ，この妥当性をテストしようとしています。それは動物の最小限のイメージではなく，最大限のイメージを認めることの問題です[12]。動物の能力を極端に貧困にするカルヴァン主義のパラダイムをもはや受け入れるのではなく，反対に動物の最大の複雑さを受け入れることを正当だとします。私はいくつかの基本原理に還

11　この概念は米国の哲学者ウィラード・クワインから採ったが，多少ニュアンスを変えてある。
12　この概念については拙著を参照されたい。*L'Animal singulier*, Paris, Seuil, 2004.

元された動物で満足できることを示したいからではなく，逆に心理的なことも含め，それだけではなく，あらゆる種類の資質をおびただしくもっている動物がいれば，間違いなくそれで事足りることを示したいのです。素朴な擬人化に陥ることなく，また幻覚や錯覚，認知的錯誤でもなく，動物に多くのものを与えることができます。この観点で，友情という問題には特に多くの理由から深い関心があります。まず友情は，科学や哲学（心理学，認知科学，その他のすべてのもの）と同様に，私たちの知的文化において特になおざりにされた現象であるためです。しかし種間の友情（ギリシャにおいてでさえ哲学者が当たり前のごとくこの友情に関心があったことなのに，ほとんど議論されなかった現象）の議論を通して，友情は素質（私が「能力」よりも好む古い言葉）だと考えられるようになります。人間自身をもはや単純に「方法論的バイアス」を犯すものとは見なさないような展開があるからです。

2章

私の友人の友人

一緒に暮らしてひとりひとりを吟味するには時間が足りないので，あまりにも多くの友人をもってはいけない。

ジャック・デリダ
『友愛のポリティックス』[1]

人間が相互関係をもっている動物が見かけほど不自然に見えないならば，その動物とともに展開している関係も不自然でないのは確かでしょう。しかし，実は逆にどんな場合であっても，高度に文化的な関係が確立されているのです。生態学者のアルド・レオポルドがいみじくも言っているように，私たちの動物への偏見は伝統的なものであるというのは当を得ています[2]。

この章では，人間と動物の関係が非常に豊かであること，そしてそれらを満足のいく方法で考察することがきわめて困難であることについて説明します。動物に対する人間の好奇心は，人間という種の潜在的で独得な特徴として見ることができます。人間が多くの動物に抱かせる好奇心も同様です。人間と動物とのコミュニケーションは情報の提供というよりも，むしろ感情的なものですが，それらすべての説明原理を見つけようとするのは大胆すぎます。人と動物を結びつける非常に強固な種間関係の論理を探求する必要があります。私は友情を動物と人間の間の選択的愛着（attachment électif）として特徴づけることを提案します。この関係の性質を解明するために，私は自分に特に関心があるいくつかの例から始めます。人間が動物に触れたいという願望や，人生のきわめて初期に形成される動物との家族関係や，そして人間と動物で一致する共感（あるいはそのように認知されるもの）です。モンキー・マイア・ビーチのイルカの例から，種間の友情の考察はその友情を可能にし，それが持続することを可能にする物理的な次元に根ざしていなければならないことも強調します。私は種間の相互作用が互いの距離によって制限される状況と，それによる葛藤に注目します。その文脈では，言葉と音声は，動物に近づきそれとの接触を維持するための非常に効

1　Jacques Derrida, *Politiques de l'ami*, Paris, Galilée, 1994, p. 37.

2　Aldo Leopold, *Almanach d'un comté des sables* (1949), Paris, Flammarion, 2000, p. 101.

果的な自然のツールとなっています。次に私は作曲家ジム・ノルマンの実験も取り上げます。彼は人間と動物，特に海洋哺乳類との間の強い関係を媒介する音楽を利用しています。

人間と動物の友情に関するこの議論を始める前に，少しばかり明確にしなければならないことがあります。まずは，主要な点。すなわち，人間と動物の間の友情について話すことは妥当かという点。その疑念はあるいは質の悪い人類中心主義の証拠かもしれません。そうした形で表明される不安は考えられますが，だからといって正しいでしょうか？　私は正しいとは思いません。不安は同じ方向に向かういくつかの現象を示しています。まずは，無視されている友情の概念分析が必要です。さらに，動物にあまりに近づき過ぎる結果もたらされる現実的な（そして文化的な）恐怖に直面することです。私たちは，友情とは何かを誇張されたロマンティックなモデルに依拠して考えるため，人間と動物の間での恐怖の事例をできるだけ見ないようにしがちです。それゆえ私は，すくなくとも第一近似としては，友情というものをある存在（agent）に対する好意的な愛着という現象によって特徴づけたいのです。その愛着には特段に功利的な理由があるわけではなく（ただし特定の効用が生じる場合もありえますが），愛着に付随する感情の有無は関係なく，ある程度無視できない期間持続しているという必要があります。この愛着の性質は重要ではありません。その愛着に関わる人たちの性格も同様に重要ではありません。

1. クロード・レヴィ＝ストロースは，民族学者たちに，自らが研究対象とした集団の自然の知識に注意を払い，それらと同様のやり方に沿って自ら学ぶようにと命じています。一部の民族学者のこの忠告と関心にもかかわらず，私たちは，特定の人間の，生き物の世界，特に動物の世界に対して表明する度を越した好奇心に十分な注意を払うことはめったにありません。しかし，この好奇心は文化や時代を超越したものなのです。つまり，その好奇心から生み出される智恵は，絶え間ない驚きの源なのです。自然主義的な好奇心が人間の特徴です。好奇心が純粋に功利主義的であると考えることは，おしなべて還元主義者の考えです。たとえば，メキシコに侵攻したスペインの征服者が，モクテズマ皇帝の特別な動物園の存在に魅了されたことは注目に値します。「メキシコへの侵攻時に征服者の想像力を最もかきたてたものの一つがこのモクテズマ動物園と呼ばれるものである」と，ツヴェタン・トドロフは書いています。アステカに支配された人々は，アステカ族への貢物として，植物および動物種の収集物を差し出します。アステカ族は，植物，鳥，ヘビ，野生動物などのコレクションが観察できる施設を建立したのです。それらコレクションは宗教的な付託物（特定の神に対応する特定の動物）として承認されていたと思われますが，それだけではなく，征服者は種の希少性と多様性，または標本の美しさを賞賛しました。これは，自分が目にしたものすべてを標本にしたいと望んだアマチュア自然愛好者のコロンの行動を思い出させます[3]。この魅力はモクテズマを動物園の設計・建立の推進に導いたであろうさまざまな理由よりも，動物園それ自体からあふれ出てきます。

2. 人間は動物と多くのものを共有しています。しかしながら，情報は種間ではむしろ信頼性の低いやり方でやりとりされています。実用や感情が意味よりも優先され，意味の次元はほとんど解消してしまいます。対話が不可能であることは，感情の伝達を排除するものではありません。「私にはたくさんの楽しみを与える小さな犬がいる。私には犬が経験するすべての感情，喜び，痛み，怒りが分かっていると言える。犬が私に何かを求めたいときに，自分の要求をどのように定式化するかを知っている。犬は時々目で私に話しかける，恋する男が恋人と話すのと同じように。私は犬の声を聞くことはない。それはもの言わぬ人の声を聞くことがないのと同じなのだ」。これは，歴史学者エティエンヌ・パスキエが1586年の『単純な動物のための逆説の形をした書簡』[4]で書いたことです。人間と動物の間のコミュニケーションの複雑さは，その難易度が実際に理解されていない限り分かりません。つまり部分的に形成された知的関係は，強い感情的な関係を随伴します。私たちは，動物からは他者である人間が動物にまったく無関心のままではいられないというよくある事実に，十分な注意を払ってきませんでした。ジェレミー・ベンサムのような功利主義者が18世紀の終わりから提起するような苦痛の問題は，愛と友情の問題と不即不離なのです。愛と友情の問題は，超人間（l'outre-humain）を受け入れる哲学者たちによって無視されています。まずはベンサム自身からしてそうなのです。動物は苦しむことができるでしょうか？　ただそれだけではありません。さらに動物は愛することができるでしょうか？　そして，より正確に言えば，動物は私たちを，私たち人間が動物を愛しているように，愛することができるでしょうか？　ある種の認知的擬人化はベンサムのような感情的擬人化とは関係ないのです。

　この質問は新しいものではありません。アリストテレスはすでに『ニコマコス倫理学』でそれを提起しています。彼は相互の友情が人間と家畜を結びつけることができるのかとうすうす感づいてはいなかったでしょうか？　もちろん，ギリシャ

3　Tzvetan Todorov, *La Conquête de l'Amérique. La question de l'autre*, Paris, Seuil, 1982, p. 115.

4　Étienne Pasquier, *Lettres en forme de paradoxe pour les bêtes brutes* (1586), *in* L. Ferry et C. Germé (éd.), *Des animaux et des hommes*, Paris, Le Livre de poche, 1994, p. 176.

の哲学者にとって，人間が「良く生きる」ことができ，動物それ自体は「生きている」だけで満足しています。友情はその場合の良い人生の一部なのか，ただの人生の一部なのでしょうか？　アリストテレスは人間の赤ちゃんや動物をある種の小人《こびと》（nain）として理解したがるのです。どちらも発達が不完全な生き物と見なしています。しかし彼は，自然を観察することの計り知れない喜びから得た別の方向に省察を向けます。アリストテレスは哲学者であると同時に博物学者であり，生きている世界の美しさは彼を終始感嘆させて止みませんでした。彼は，この地球上の世界に住むすべての生き物をつなげている親和性に注目し，自然に対する人間のこの強く愛して止まない気持ちを概念化したのです。他のすべての条件が同じであれば，これはすでに20世紀の終わりにアメリカの昆虫学者エドワード・ウィルソンが推奨したバイオフィリアの概念であり，彼が「〈生命〉（vie）と〈生命体〉（vivant）の諸過程とに注意を向けようとする生得的な傾向」と定義することになるものです[5]。さらにそれらを評価しようとする傾向も認めます。

　本当のところは，特定の人間と特定の動物を強く惹き寄せる親密な関係に迫ろうとするために，私たちは何もしてこなかったわけではないのです。私たちには諸概念の膨大な蓄積がありますが，残念ながら数世紀このかたそれを無視してきました。たとえば，ピタゴラスの『オイケイオシス（*Oikeiosis*）』は，人間と動物をつなぐコミュニティという考え方を展開しています。両者の間で情緒的な関係が進展できるのは，双方が一緒にいるからです。一緒に共にいることが感情を育みます。とはいえ，人間について話すのと同じ言葉で動物を説明したり理解したりしないようにしましょう。だからといって，若干の現象について，概念操作を誤ると馬鹿げて見えるという理由だけで，考えるのを禁じるのは止めましょう。動物を愛し過ぎると人間は憎まれはしないかという恐れについては，特定の人間の間では今や常套句ではありますが，それ以外の人々にとっては，あまり当てはまるものではありません。私たちは何が恐くてそのような幻想にこだわるのでしょうか？　まず種間の嫉妬であるこの類いの嫉妬を正当化できるのでしょうか？　愛情は分割すればするほど取り分の小さくなる有限のパイであるから，などということを，どうして思い込みたがるのでしょうか？

3. 私には人間と一部の動物（あまり野生的ではない動物）が互いに惹き付けられるという抗しがたく魅力的で衝撃的な関係を理解することにより関心があります。

5　E. O. Wilson, *Biophilia. The Human Bond with Other Species*, Cambridge (Massachusetts), Harvard University Press, 1984; S. Kellert (éd.), *The Biophilia Hypothesis*, Washington, Island Press, 1993.

ダーウィンは，感情の系統発生の構想を表明したとき，すでにそのような方向に取り組んでいました。特定の動物（イヌ，ネコ，ネズミなど）は，人間と長い共通の歴史を，しかも，人間との情緒的な親近感が人間の間で次第に構成されるほどの長い歴史を共有しています。私たちはこれらの動物とは，情緒的な親密さと感情の密接性を共有します。動物たちの曖昧な行動に私たちの感情や表現を投影することで，私たちがしまいには動物たちに自分たちと同じ感情や表現を見出さないわけがありません。たとえこの魅力がこちらが期待するほど恒常的ではないにしてもです。

すべての文化が少なくとも一つの生物種と特定の関係を確立する必要があり，またどの種を優先し，どの種を放棄または取るに足らないと見なすべきかを歴史的理由から決定したかのようです。一例を挙げると，アマゾンの村は紛れもなく動物が多彩です。多くの民族学者が，南北アメリカの村々を占める動物相の豊かさと多様性，そしてそれらが人間と結びつく関係の強さに驚きました。オリノコ探検の先駆者の一人であった博物学者のヘンリー・ベイツは，訪問先の村で見た22種の家畜化された哺乳動物のリストをフランシス・ゴールトンに送っています。1930年代，ピーター・フレミングは，ブラジル南西部のカラハ族が，子どもたちが連れている動物に深い愛情を注いでいることを記述しています。種間の愛着のこのような例はオーストラリアも含めたすべての大陸で見られます。オーストラリアでは，カール・ラムホルツは先住民アボリジニが飼っているディンゴに対する愛着に魅了されます。

動物行動学の観点からすると，人間は他種の動物と多くの関係を探ろうとする唯一の動物です。仮に家畜化に対する独占権などなくとも（アリはある種のやり方で家畜化を実践しています），ある動物に非常に多くの好奇心を燃やし，多くの他の異なる種にも同じように関心をもつ唯一の存在が人間です。他の大多数の動物から人間をきっぱりと区別するのは，動物に近づこうとするこの根源的な意志であることは疑う余地がありません。これは卓越した，いやそれ以上の「人間のパラドックス」かもしれません。しかし，これらのつながりは往々にして本物の仲間関係に発展することもありますが，自明であると言うわけではないのです。多くの問いが満足のいく回答を待っています。なぜつながりが形成されるのでしょうか？　それらのつながりはどのように維持されるでしょうか？　どのように説明できるのでしょうか？　人間と動物の潜在的なつながりの多数性を示し，それらの多様性を主張し，普遍性を示唆することは，必ずしもこれが種間の友情の問題であることを意味しません。それにもかかわらず，つながりの力と多数性を明確にすることが重要なのです。

4. ケニアで数十年間オリーブヒヒ（*Papio anubis*）を研究したシャーリー・ストラムは，ヒヒたちを結びつける力と，強い友好関係が，霊長類の社会生活においても一般的に重要であることを主張しています[6]。彼女はヒヒ同士の友情についてためらうことなく語ります。この友情という現象の中に，自分が研究しているグループから準メンバーとして受け入れられ，したがってグループに近づくことができる鍵を発見したというのです。ヒヒたちの互いの相互作用の観察中に彼女が発見したこの友情とは，これらのヒヒたちの中のある個体に彼女がアクセスすることが許される特権の（privilégié）モードであることをつかんだのです。彼女は，グループの「友だち」になることが重要であると考えています。つまり，友人をもつことです。ただし，ストラムが発見した友情は非常に特殊です。感情は何の役割も果たしません。それよりも，別の特性が非常に重要です。ヒヒの友情は政治的な友情なのです。その友情はサービスの潜在的な互換性に基づいています。友だちになることは，特権的な方法で自分を他と結びつけることです。責任を負うこと。相手の関心事を自分のものにする準備ができていること。しかし，それは相手にお返しを約束させることでもあります。どの点まで？　ストラムは，どこまでが境界であるかは交渉可能であり，友情は変更可能な組み合わせであって，オン・オフの２値的な有・無の関係ではないことを示しています。彼女自身，ヒヒの間の紛争に際してどちらかの側につくことを拒否しました。彼女は，自分自身のために，また他個体のために，どのような場合であっても，ヒヒの間の紛争に巻き込まれることを決してしません。ヒヒに対するストラムの友情は，寸分たがわずヒヒのそれの模倣です。彼女はこの核心的な原則を微調整することさえします。ストラムは，すべてのヒヒと友だちになりたいと望み，特定の個体と特定の方法で友だちになることは望みません。排他性のない友情が望みなのです。全方位の友情。実際彼女は，ヒヒたちによるさまざまな友情がきらめき合う中に，ある特別な友情を創り出します。中性的な友情，つまり好意に満ちた中立性の友情です。社会集団の中では熱狂的な仕方で積極的な友情が実践されるものですが，彼女はそうした集団の中に受動的な友情を新たにつくります。そして，自分の目標を達成します。すべてのヒヒは彼女をそのように受け入れたのです。ヒヒと友だちになることは，ヒヒのように振る舞うことを意味するのではなく，ヒヒが理解できる方法で行動し，結果的にヒヒが受け入れることができることを意味します。その友情関係はポンプハウス・ギャングと名づけられたヒヒの一群の中での日常生活の一部です。一方，ヒヒ研究者のティム・ランサムはゴンベ・ストリームのヒヒ間の同じく永続的な友情について語るのですが，この日常

6　Shirley Strum, *Presqu'humain. Voyage chez les babouins*, Paris, Eshel, 1990.

生活の側面には決して触れません。そこでの友情関係を見つけることは難しくありません。友だちは一緒に住んでいるヒヒです。一緒に休んだり，毛づくろいしたり，寝たりします。あるいは，かれらは一緒に何もしないで過ごします。互いに隣に並んでただ座っているだけです。物々交換もあります。何か頼み事をするものは誰でも相手への借りができます。友情は雌と（一般には同性）の間で形成され，安定していますが，雄間の友情は非常に希です。愛情と相互の毛づくろい（身づくろい）が友情の柱です。安定していても，友情は恒常的ではなく，最高と最低の波があります。雄は頻繁に雌との友情を求めることもありますが，この友情は雌同士の友情よりも弱いのです。雌が性的に受容的であるとき，雄と雌はしばしば親しくなり始めますが，友情はこれを超えて続きます。授乳中または妊娠中であっても，雌は雄の友人をもつことができます。

　ストラムはヒヒの友だちになり，これらの霊長類との関係を確立します。この関係は，家畜との関係とは大きく異なります。「私はかれらのおどけた仕草を笑い，新生児の最初の歩き始めに魅了され，遊びがあまりに激しくなったとき，好きな動物たちを心配した。そして，かれらとの付き合いは，自分でも気づかないうちに，大した努力もしないで私がかれらに近づきたいという要求をほとんど完全に満たしてくれる。人間の場合と同様に，ヒヒ同士の友情は相互性に基づく。例外的な状況だが，私はグループの参加者でなくて，グループの一員となっていたのである。対価を払うことなく，私は多くの満足を得る。ヒヒは私の体にではなく，私の心と精神に触れるのだ」[7]。動物との関係が，それに関わる人間に完全に満たされた感情を与えることができるという事実に，私たちは十分に気がついていません。ストラムがヒヒと築いた友情は，彼女の社会的ニーズに応え，大きなストレスがかかっていた人生に意味を与えるのに十分でした。カリフォルニアでの自分の散々な生活はヒヒとの一体感を再発見させた，と彼女は説明します。ヒヒの友だちは，計り知れない贈り物を提供してくれます。それは社会的豊かさです。これは，ジェーン・グドールがチンパンジーと共に感じ，そして東アフリカのゴンベにおけるチンパンジーの観察から得られた「素晴らしい内なる平穏」[8]を呼び起こすに匹敵する充実感なのです。

5. 霊長類にだけ限定されるわけではない種間のつながりはどのようにつくられるのでしょうか？　ジョゼフ・ケッセルは，パトリシアがその父親ブリットが管理官を務めていたケニアの公園で育んだ動物との関係の可能性とその強さについて天賦

7　*Ibid.*, p. 84.
8　J. Goodall et P. Berman, *Le Cri de l'espoir*, Montréal, Alain Stanké, 2000, p. 83.

の才によって説明します。「彼女は才能をもって生まれ，動物の中で育った。そして（ブリットはかろうじて分かる程度に口ごもりながらも……）彼女は決して動物たちを害するような真似はしなかった。動物たちに耳を傾け，動物たちは彼女に耳を傾けるのだ」[9]。身の上話と天賦の才です。この話の展開は興味深いが，短すぎて分かりにくいものです。トナカイが人間の尿に誘引されることはよく知られていますが，最初にそれを引き起こしたものとの原因－結果の関連の枠組みに還元することは時期尚早でしょう。人間にとっての動物の魅力は，時として，より知的な側面を必然的に含んでおり，それを明確にすべきなのです。たとえば，コンラート・ローレンツは指摘します。ある鳥は羊飼と飼犬とのやりとりの隙間に介入し，最初の口笛を忠実に模倣して二番目の口笛を吹くようにして鳴くのです。「E. トレッツェル（1965）は，考察の素材となる事例を報告している。それは，羊飼いが犬に命令するために発する口笛を模倣するカンムリヒバリ（*Galerida critata* L.）に関するものである。口笛は非常に多様なので，ソノグラムに表れているように，突発する音高変化と揺れ動く抑揚があり，非常に分かりにくいグラフとなる。ヒバリは以下に示すようにあるパフォーマンスを実行する。つまり，口笛をより高い自分が得意な音域に転調させ，ときとして不協和な音程の，きわめて変化に富んだ口笛から，トレッツェルが指摘するように，われわれの音楽感覚に非常に近い形式を『抽出』することができるのである。まるで，羊飼いが思いつきはしたものの，めったに成功しないテーマの『イデア』，理想の形式を，鳥が把握し，吹き鳴らしたとでもいうかのようである。ヒバリは，より洗練された音色とよりエレガントなメロディーラインで，羊飼いの口笛を純粋で音楽的な方法で奏でる。ヒバリはある意味で，羊飼いの口笛を音楽的に高貴なものにするのだ」[10]。ここでも，提起された問題は不完全にしか解明されていません。特定の動物と人間を結びつける相互作用現象の私たちの理解を深めることが重要なのです。

6. 人間は，捕食の対象としてではなく，他の種の個体に強く惹かれる唯一の動物です。このことは一貫しており，強烈で，そして多くの異なる種の動物に対しても同じです。少なくとも，このことは動物行動学の文献で言われていることに照らしてみても信じてよさそうです。しかし，私たちはこのことについて本当に何を知っているのでしょうか？　私たちはそう言えるだけの好奇心の自然史はまだもち合わせていません。動物が他の種の動物にどの程度関心をもっているのか分からなくとも，私たちは，人間と他種間の惹かれ合いがあることを確信しています。動物の愛

9　Joseph Kessel, *Le Lion* (1958), Paris, Gallimard, coll. «Folio», 1982, p. 59.
10　Konrad Lorenz, *L'Homme en péril* (1983), Paris, Flammarion, 1985, p. 104-105.

は抽象が苦手です。触って，嗅いで，会話することがふさわしいのです。動物に触れたいというこのなんとも人間的な欲求に，これまではいい加減な注意しか払われませんでした。ちなみに，これは新しい現象ではありません。19世紀初頭に鳥の絵を描くために北米を旅した有名な動物画家オーデュボンの伝記作家の女性は，彼が鳥に触りたいという非常に強い魅力を感じていて，機会があればいつでも触れようとしていたことを書いていますが，残念ながら詳しいことは述べていません。ですが，これについては驚くような話もあるのです。ある日のこと，彼は木に登って鳥の巣の中に手を差し込むのですが，実はその巣は蛇に占領されていて，その結果彼は驚くほどの速さで木を降りたのです。それを見ていた人たちを面白がらせることになりました。最近では，現代の水族館の最も注目すべき目玉の一つは，老若男女がこぞってプールに手を入れてエイに触れることができる触れるプールの設置です。エイたちは人間から手で満足を与えられて，まんざらでもないのです[11]。

疑問の余地があるものの，西オーストラリア州のシャーク湾にあるモンキー・マイア・ビーチの浅瀬で野生のイルカに触れることができるという出し物は，まったく違うとはいえ，もう一つの注目すべき例です。触れ合いプールの魚は捕えられた魚ですが，モンキー・マイア・ビーチで触れることについての主導権はイルカに握られています。優れた研究者でさえ，これらの相互作用で生じる魔法に抵抗することはできません。「単にイルカに手で餌をやるということ自体，とんでもない経験だが，私は関係をさらに発展させ，より多くの喜びと遊び，そして結果としてかれらの精神的能力についてのより多くの知識を引き出したいと思った」[12]というわけです。

人間とイルカの間のコミュニケーションは，動物が人間から完全に理解されているという，真に洗練されたものになります。懐疑的精神は，この理解を確立する方法を尋ねます。答は，練習によって！となります。コミュニケーションは，動きと行動を調整するのに役立ちます[13]。それがすべての人の満足のために行われるとして，コミュニケーションが存在しているだけでなく，うまくいっているのであれば，それについて話すことはばかげたことではありません。それでも，西洋の研究者は，コミュニケーションの彼岸に何としても行きたがり，動物の「精神的能力」にアクセスすることを常に目指しています。たとえその研究が「快楽」または「遊び」に明確に関係する場合であってもです。

11　ただし，エイは毒針を取り除く手術を受けている。
12　Rachel Smolker, *Parmi les dauphins*, Paris, Presses de la Cité, 2002, p. 47.
13　コミュニケーションの基準はスー・サヴェージ＝ランボウによってカンジというボノボの本の中で提唱されている。

この接触というような身体的な相互作用には知的に対応するものを必要としません。触ることはすでに人間にとって非常に満足のいくものであり，多くの動物も同様にそれらを求めています。ジョゼフ・ケッセルの小説の中で最も衝撃的な一節，私がすでに引用した『ライオン』，これは完全に成熟した雄のライオン（ブリットの娘が友だちになった同じライオン[14]）ですが，このライオンと人間の赤ちゃんとの間の遊びでの取っ組み合いについて語っています。ケッセルは，少女とネコ科の動物との「友情」について語っています。これを批判的ではなくとりあえず受け入れましょう。私たちは，その描かれたシーンで微笑むことができますが，それは間違っています。このシーンは，根本的な真実に言及しているからです。つまり乱暴で肉体的な接触が，他者との友好的で親密的な関係の様式なのです。

学術的には，クリストファー・ベッシュは，象牙海岸のタイの森で研究するなかで，若い雄のチンパンジーと自分がどのように穏やかに取っ組み合ったかを述べています[15]。さらにこれらの相互作用は，非常に魅力的なので，かえって疑問の余地が生じてきます。おそらく，動物との関係では愛の幻想が愛そのものに取って代わるなどと主張する向きもあるかもしれません。私たちは，知恵の生き物（*Homo sapiens*）として，他の生き物とはやはり違うと確信しているのでしょうか？　まがいものの友情について語ることができるでしょうか？　この意味で結論を出すのは難しいでしょう。しかしながら，最も愛される動物が触れることのできる動物であることに変わりはありません。アルド・レオポルドは特定の人間と特定の動物のあいだのそのような身体接触の危険，パラドックス，曖昧さをきわめて的確に見抜き，われわれは野生を見たり触れたりしたいという欲求を抱いているが，そうすることのできる人間が多すぎると，野生は価値を失ってしまうのだと指摘したのです[16]。そこでも友情は意外にも姿を現しますが，ただしそれはまさしく量的な友情なのです。友人は，友人としてやっていくためには，多すぎてはいけません。ある程度は排他性が必要です。たとえば，家族の枠組みとか。

7. 私たちは，家族での機能という観点から動物との関係を考慮しがちな私たちの傾向について，それほど十分な注意を払ってきませんでした。洋の東西を問わず，すでに多くの家族がさまざまな動物に対してすでに理解を示し，関係を築いていますが，その関係は，強さという点で往々にして例外的な水準に至ってしまうことがあるものです[17]。動物と一緒に家族を形成して，その中に実験を組み込むことは新

14 J. Kessel, *Le Lion, op.cit.*, p. 172 *sq.*
15 私信（1997）。
16 A. Leopold, *Almanach d'un comté des sables, op.cit.*, p. 134.

しいジャンルの方法です。ガードナー夫妻はこのジャンルの偉大な先駆者で，彼らの実験は「話す」チンパンジーです。彼らは家族に組み入れるという方法を選びますが，それはヒトとのコミュニケーションを可能にし，ゆたかな意味のある経験を生きるための象徴化という越えるべき壁へと動物を導くものです[18]。このアメリカの研究者たちが，チンパンジーの欲求の理解にとどまらず，わが霊長類の「いとこたち」の持つ「情報」を理解しようとするのですが，この里親家族は，この「いとこたち」とかかわり，影響を与えるだけでなく「情報」を交換するための創造的な相互主観性の過程の核心になります。ここで開発された家族の実験の枠組みが種を越えた感情の強化に貢献したことを，このアメリカの心理学者たちの計画の失敗として考えることはできません。むしろ彼らの冒険的で独創的な実験の副産物だと見たらいいでしょう。彼らの実験は，私たちの世界とチンパンジーの世界との主観的な結びつきを大幅に豊かにするのに役立つ最も予期しない路へと研究者を導きます。動物への家族的なアプローチは，中心的な原則，つまり共有空間での共同生活という原則に基づいています。カナダの哲学者マイケル・ルースがダーウィニズム自体はすでに家族という比喩の効用を深く利用していると指摘しているように，考え方によっては，これはあることが適者への利益になることに他なりません[19]。

8. 私たちが今まで見てきたように，動物は機械ではありません。動物が苦しむというだけでなく，より一般的な見方からすると感情をもっているという理由からです。確かに，痛みだけでなく喜びもあります。そして，これらの感情は私には，人間としての私にとっては理解できることです。これは重要なポイントですが，一般に無視されます。この理解可能ということは非常に疑問の余地があることなのです。擬人化批判の口実のもとでそれを排除するのは魅力的です。しかしそのような知的反射は（というのも，これこそがまさしくそうなのですが）まったく満足のいくものではありません。まずこれは仮説でしかなく，経験的に調査される価値はあるのですが，十字架で悪魔から，ニンニクを頭に付けて吸血鬼から自分たちの身を守ろうと試みる人々のように，この仮説を振りかざそうとする人々は決してそれを検証しようとはしないのです。さらに，知性的理解の原則をいくら排除したところで，

前ページ　17　パトリシア・アンダーソンは米国の家族におけるオウムの地位を述べている。P. Anderson, «A Bird in the House: An Anthropological Perspective on Companion Parrots», *Society and Animals*, 11, 4, 2003.

18　このプロジェクトに対する悲観的な分析には次の文献を参照されたい。D. Lestel, *Paroles de singes. L'impossible dialogue homme/primate*, Paris, La Découverte, 1995.

19　M. Ruse, «Le changement scientifique est une affaire de famille», *in* J. Gayon et J.-J. Wunenburger (éd.), *Le Paradigme de la filiation*, Paris, L'Harmattan, 1995, p. 77–97.

私がなぜナメクジではなくイルカやチンパンジーで感情に満ちた生活を理解したのかの説明にはなりません。動物の感情の状態は私にとって意味があり，またその単純な事実はすでにそれ自体に疑問の余地があります。私は動物たちに従って理性的に行動することができます。私がかれらについて形づくった表象に関連づけて私の行動を方向づけることができます。かれらが私の感情に与えたように私自身もかれらの感情に反応することができます。動物は苦しんでいるからといって保護すべきだということではないのですが，しかしその苦しみが私にとっては意味があり，理解できるからです。哲学者たちの有無を言わさぬ断言にもかかわらず，私は動物を感じることができる以上に理解することができます。動物がある状況の中で困っていることが私には理解できます。たとえある動物が困っているのと同じようには私自身が困っていなくてもです。この共感に私は無関心ではいられません。私の困難にその動物の困難が重なるということではありません。相手がいて意味をもつということなのです。私たちはもちろん知的レベルで擬人化について語ることができますが，ここでの問いはまったく違います。

動物との関係で感情を感じる大多数の人間は，本当にそれらを感じています。模倣しているのではありません。人間と動物の関係は，最初から感情のコミュニティの形で表現されています。これは，私たちが同じ系統発生の歴史を共有していて，私たち全員が動物という範疇に属しているために可能なことです。特定の種については，これらの感情的な親近感による近接は，部分的に共有された文化的歴史によってさらに強化されます。ネコの歴史は新石器時代から人間の歴史と混ざり合っており，チンパンジーを除いて，人間が遺伝的に最も近い動物であることは驚くべきことではありません[20]。感情を移入《アンパティー》することと感情を共に《サンパティー》することは，人間と動物の間の友情関係の大部分で重要な役割を果たします。だからといって，これらは「友情」を語るのに必要なのでしょうか？　必ずしもそうとは限りません。私がこの立場に立つように促す理由の一つは，私が動物の「物質性」と呼んでみようと思うものを無視しがちな議論があまりにも多いというところから来ています。

9. モンキー・マイア・ビーチのイルカの研究経験についてのレイチェル・スモーカーの本の一節には，私が人間とイルカの出会いの物質性と呼んでいるもの，つま

20　類人猿を除いてはネコは遺伝的に最も人間に近い。癌や HIV の専門家であるスティーヴン・オブライエンはネコとヒトのゲノムを比較している。このことはジャック・トゥルヌールが有名な映画，*La Féline* を作るきっかけとなった。以下を参照されたい。S. O'Brien et M. Anton, «The Family Line. The Human-Cat Connection», *National Geographic*, juin 1997, p. 78-85; id., J. Weinberg et L. Lyons, «Comparative Genomics: Lessons from Cats», *Trends in Genetics*, 13, 393-399, 1997.

り，人間とイルカの間の関係に見られる物理的要素，特に海岸，魚，海藻，愛撫，そしてスピーチといった要素の配位構成に彼女が興味を惹かれ，魅了されたことを示しています。

オーストラリアのモンキー・マイア・ビーチは，人間とイルカが物理的に互いに簡単に出会える浅い水域からなっているという特徴があります。このアメリカの鯨類学者にとって，興味深いことに，これらの条件はこうした出会いの関係が生ずる起源であり，彼女が人間とイルカの間の「友情協定」と呼ぶものを締結することができたと確認できるのです。浅瀬が浜へと続く所，そこは漁網の中身を叩き落として網をからにすることが許される数少ない所で，そこを利用する地元漁民からすべてが始まり，その結果としてイルカが引き寄せられたというのが彼女の推測です。

魚は非常に重要な媒体です。イルカは餌を与えてくれる人間に近づきます。経験豊富なイルカは，胸びれで海底の砂をこすったり，背中をアーチ状にしたり，頭を水から突き出したり，口を大きく開いたりして，餌を要求するときの特徴的な姿勢で，自分が選んだ人に近づくことがあります。海藻も，人間とイルカのコミュニケーションにおいて重要な仲介役を果たします。多くの海藻の断片がビーチに打ち寄せられます。その海藻は長い平らなリボンでできており，季節ごとに着脱する爪をもつ足根で海底にしっかりと固着しています。スモーカーは，イルカを楽しませるギブ・アンド・テイクのゲームについて説明しています。海藻の一部を取ってきて，イルカに与えることで成り立っています。イルカはそれを取りに来て，また返します。スモーカーは，海藻が豊富な環境であるにもかかわらず，イルカにとって関心があるものは人間が持っているその海藻であると指摘します。イルカたちは非常に複雑なゲームに時折参加します。たとえば，ゲームでは海藻をつかもうとして人間に突進する前に，無関心を装うのです。最終的にお目当ての海藻を獲得すると，あとはその断片にはまったく目もくれません。イルカが目を奪われているのは海藻ではなく，海藻の周りの人間との関係なのです。

すべてのイルカではなくとも，特定のイルカにとって，愛撫は人間に近づくことを強力に鼓舞するものとなります。イルカのニッキーはほとんどの場合は，それに熱中しようとはしませんでしたが，この親密な接触が特に好きでした。ひとたび，ニッキーが選んで突進すべき人が決まったら，その人は，自由にニッキーに触れることができます。「リチャード[21]は，ある日この恩恵を享受することになる。ニッキーは彼の太ももにうっとりして横たわり，目を半分閉じた状態で頻繁にふるえて愉悦に浸るのだった。ニッキーは彼のつま先を吸う。腹部を水面に出す。彼がそれ

21　リチャード・コナーは米国イルカ研究の第一人者である。

を愛撫する。彼はニッキーの吸気孔と胸びれの下側を探るように指を滑らせる[22]」。スモーカーは重要なポイントを主張します。愛撫の主導権を握り，その性質を決定するのは常にイルカなのです。特別の部位（背びれや胸びれ，頭，目，吸気孔など）は，全体として人間が触れるにはあまりにも官能的な部位です。触れて欲しいイルカは，仰向けになって腹部とあごを見せます。さらに，頭を振ったり，人間の手を噛み，メッセージを伝えたりするのをためらうことはありません。

最後に，よく広まったイルカについての物語はこの友情の現象を構築するうえで重要です。レイチェル・スモーカーは，モンキー・マイアの常連たちが語るおびただしいイルカの物語をためらわずに引用します。全体としてはすべて空想がまさりがちではあるものの，物語の原動力となっているものを示してくれるのです。イルカの個体識別はヒレの写真を見ない限り見た目には分からないにもかかわらず，この湾の住人は，自分の相手が同じイルカであると思い込んだ結果，驚くべき馴染みの幻覚にとらわれ，幻覚が現実であるかのように振る舞い，ついにはイルカとの接触が容易に，少なくとも他の場所よりは容易に成立してしまうような状況をつくり上げるのです。

人間と動物の間の行動（action）と感情（émotion）からなる共同体（communauté）は，それを成立させ，その実行を保証する枠組みで構成されます。私が動物と強い感情を共有することができるのは，私が動物に十分に近づき，時間も十分に長く，自分の行動や活動を動物と調整し，最終的には双方が決して危険を感じることなく同じ空間を共有できるからなのです。人間と動物の間の重要な出会いの歴史は，それを可能にする時間と空間と安全な交互作用を差配することから始まるのです。他者の知的な了解が，瞬間的でかつ自発的である必要はありません。それは深浅を問いません。内省を要求されることもありません。内省が排除されるわけではありませんが。反対に，動物への強い選択的愛着は，時間の流れによって成り立つ（特に，双方のリズムに依存する）関係を通して，また人間と動物の間を仲介してくれる何らかの対象物の操作によって構築されます。アメリカの哲学者ダニエル・デネットが展開する議論は，純粋に操作上の理由から動物に意図性（intentionnalité）を見出そうとすることができると主張しています。と言うのも，もし私たちが動物を知的な行動主体として見なしてしまえば，私たちがより効率的に動物と付き合えるわけですが，この主張はいかなる意味でも説得力がないからです[23]。実際，動物との相互に繰り広げられる長きにわたる共同関係に導かれて，私は特定の動物に内省があると考え，かれらの意図性を真剣に考えることができるよ

22　R. Smolker, *Parmi les dauphins*, *op.cit.*, p. 43.

うになったのです。人間と動物を結びつける「対角線の愛着」は，何よりも，相互作用の物質性によって持続するものなのです。

10. 逆に，人間に接近されたくない動物から距離を置かれると，耐え難い欲求不満が生じます。人がすべてを与える準備ができているのに，動物に拒絶されることほどばつが悪いことはありません。タンザニアのゴンベの森でジェーン・グドールが野生のチンパンジーの観察を始めたとき，何の出会いもなく，木々の葉の中にいるチンパンジーを眺めるしかないことに彼女は不満から怒りを覚えたのです。これは，動物のほうが相互作用など望んではいないという事実に直面したくない多くの人々の欲求不満でしょう。野生動物が人間にとって危険なことはめったにありません。しかし，人間に対する無関心でいつも逃げられてしまうことは，動物を研究する人々を苛立たせます。ここでは，感情の共有が真の価値を獲得します。それは，文化の常に個別の文脈において，人間と動物双方で明確に精巧につくり上げられた相互作用の真の価値です。

　ジャック・イヴ・クストーと彼のダイヴァーたちの，紅海とインド洋でのイルカとの一連の経験の顛末です。「私たちは海面の激しい動きを察知したらすぐに，水に潜る。しかし，イルカに近づくことも，群れの中に入ることも，かれらのゲームに参加したくてもそれはままならない。私たちは，海でかれらの生活を共有できると想像し，夢見ている。水中でできるだけゆっくりとかれらに向かって移動する。自分たちが敵ではないと表現するためにできることはすべてやった。しかしどうしたら分かってもらえるのだろう？　かれらを安心させ，こちらに悪意のないことを納得させるものを探すという徒労を重ねるのだった。かれらが私たちの貢物に引き寄せられることもない。私たちが差し出した魚に見向きもしないように見えるほどだ」[24]。ニュージーランドのウェイド・ドークも同様の困難に直面しました[25]。しかし，あきらめる代わりに，彼はクジラ目への他のアプローチを模索しました。イルカと身近になり，相互信頼を生み出すには，相互作用の二つの柱，行儀作法と社交術が備わっていなければなりません。これは，未知の村に調査に入るときに私たちが採用するのと同じものだと彼は説明します。イルカに出会うためにイルカになり，その泳ぎを真似します。それでももっと重要なことは，効果的な仲介物を探すこと

前ページ　23　D. Dennett, «Les Systèmes intentionnels en éthologie cognitive: une défense du 'paradigme panglossien'», *La Stratégie de l'interprète. Le sens commun et l'univers quotidien* (1983), Paris, Gallimard, 1990, p. 308–370.

24　J.-Y. Cousteau et P. Diolé, *Les Dauphins et la liberté*, Paris, Flammarion, 1975, p. 16.

25　Wade Doak, *Ambassadeur des dauphins*, Paris, Jean-Claude Lattès, 1993.

です。たとえば音楽はどうでしょう。このニュージーランドのダイヴァーの最初の試みはフルートです。後に，鐘の音が同じ役割を果たしました。つまり，鐘の音は人が飛び込んだことをイルカに知らせます。少なくとも，このことは，ダイヴィングを重ねている際にドークが思い至ったことです。彼は正しいでしょうか，それとも間違っているでしょうか？　この問いはここでは重要ではありません。重要なポイントは他にあります。つまり，動物に身をさらすには，捕食的で不器用な人間性を多少なりとも減らす能力が必要です。人間とイルカを真似たそのダイヴァーの関係は，それが視覚的なもの（偽のイルカのぬいぐるみで装おう）であろうと，聴覚的なものであろうと，人工物と技術を介して行われます。私の師で芸術家のルイ・ベックに言わせれば，技術動物記号論です。求められている手立ては，こうとしか呼べないでしょう。自分を人の手が加えられていない自然な状態にするために，人工物を利用する。自分をイルカ化する。ここで繰り返しますが，動物が本当に騙されているのか，それともそのふりをしているのかを知ることは重要ではありません。相互作用の水準は儀礼的な水準，したがってある種の好意ある欺瞞の水準であり，動物に大きな主導権を渡すのです。動物に近づくとは，まず動物と仲良くすることを意味します。とりわけこちらのありそうにない幻想のいくつかを捨て，人間の身体性（corporéité）を少なくとも一部抑制するのです。

11. 人間が動物との強い関係を確立し，維持するために使用できるすべての物質的手段のうち，上で見たように，言葉（parole）は動物へのアクセスに対する別格の手段となります。私たちは，動物には言語活動がないゆえに，言葉としては聞こえていないと，あまりにも拙速に結論づけます。言葉は，単にその意味論だけには還元できません。言葉のもつ音楽性と，その音響特性は，動物とのコミュニケーションにおいては絶妙なコミュニケーションの明確なツールとなっています。科学的研究がこのことに関心がなかったということは，それが錯覚であったわけではなく，科学的調査が挑んでいない多くの領域がまだ残っていることを意味しています。一方，作家ジョゼフ・ケッセルはここで再び，言葉の力を全面的に意識しています。「しかし，私がこれらの心強いイメージにどれほど固執しても，秘密の声が私を引き付け，大きな野生の動物に引き寄せられたとき，それらはすべての価値とすべての感覚を失った。私が声に逆らうことは不可能だ。この声は，私にははっきりと分かるのだが，私の人生で唯一経験した機会であり，とても不安定で危険だが，唯一の力で，私たち，パトリシア，動物，そして私を魅惑的なバランスで支えてくれた……。『すべてうまくいってるわ，まったくすべて順調よ』とパトリシアは歌う。彼女はもはやキングと話こそしていなかったが。彼女の歌は自分が世界との調和がとれた合意の証の声だった。障壁や仕切りを知らない世界。そして，その世界は，パトリシアの仲介を通して，私のものになった」[26]。厳格な意味でいう言葉を超えるその声は，人間と動物の平和的な関係における特別な影響力をもたらし，他の人間を種を超えた魅惑的なコミュニケーションの空間に導き入れることを可能にします。パトリシアの声は，彼女が動物と接触する場に入り込むときに非常に特別なものとなる可能性があり，ケッセル自身は「動物を怖がらせないために彼女が利用した秘密の声」[27]と特徴づけています。人間と動物の間のインターフェース上における声の役割の特異性は，さらに別の文脈でもよりはっきりと示されてもいいはずです。それは，一連のやわらかなヴォーカルサウンドを駆使して馬との関係を築こうとする人間のささやきの声です。そこもまた，いたずらにたくさんの解釈をしようとすることではなく，ある現象があって，その意味を理解しようとすることです。テンプル・グランディンはさらに切り込みます。彼女は自閉症の経験に基づいて（彼女自身自閉症で，コロラド州立大学の動物行動学の教授です），音楽が多くの動物の言語であって，その特定の動物が人間の言葉の音楽性を媒介にして非常に正確な方法で人間とコミュニケーションできることを示唆しています[28]。

12. 声は，距離を保ちたいし親密でもありたいといった点で，曖昧な媒体です。ミュージシャンのジム・ノルマンは，海洋哺乳類との間のこの距離からうまれる欲求不満を頻繁に経験しました。お望みの相手に非常に近く接近することができたと思えば，一方では遠すぎるというものです。彼自身は，この距離を埋めるのに声にではなく，音楽に頼ることにしました。音楽に種間での出会いに対する抵抗を克服するために多くの希望を込めます。十分な境界[29]という用語を使用して，人間とクジラやイルカといった海洋哺乳類とを結びつける，この意味をたくさん孕んだ出会いを識別します。ノルマンにとって，自然の中でクジラ目とのコミュニケーションを試みることは，人間が生きているなかで最も深い経験の一つとなっています。彼は，クジラやイルカがこの魅力の理由を説明できなくても，人間を魅了する独得の力をもっていると考えています。ホエールウォッチングの人気の高まりは，これらの出会いの根底にある魅力のドラマティックな証拠であり，多くの場合，それらに参加する人々によって不思議な魔力というように表現されているのです。

---

26 J. Kessel, *Le Lion, op cit.*, p. 115-117.

27 *Ibid.*, p. 106.

28 Temple Grandin et C. Johnson, *Animals in Translaiton: Using the Mysteries of Autism to Decode Animal Behavior*, New York, Scribner, 2005, とりわけ Chapter 5.

29 Jim Nollman, *The Charged Border: Where Whales and Humans Meet*, New York, Henry Holt & Company, 1999, p. 44.

ジム・ノルマンの独創性は，共有された音楽の実践によって構築される動物との関係を考案したことです。その意味で，彼は自分を「種間ミュージシャン」と表現しています。ややおどけて自分はそのまれな例の一人であると告白しています。ノルマンの履歴は興味深く，彼の方法をよく理解するためには知っておいてもいいでしょう。その履歴は演劇とダンスです。20 歳の 1970 年代，彼はサンフランシスコ湾岸地域の前衛的な新しい音楽シーンに没頭します。冬の間はメキシコ南部のサンクリストバル・デラ・カサスに行くというように，彼の生活はひっきりなしに変わります。そこで毎朝 1 時間地元の民俗楽器（笛）を演奏します。ある音を時々鳴らすと，近くにいる 1 羽の七面鳥が特有の鳴き声を出すのです。これが衝撃的な出会いの始まりで，そこからこのアメリカのミュージシャンの種間音楽への関心が生まれることとなるのです。彼が音を出すと鳥が翼を振り，フラメンコダンサーのポーズよろしく歩を進めると，その部屋にはほこりの雲が舞い上がるのです。4 歩進んで 4 歩戻る。その鳥の肉垂は深みのある青い色を帯び，音に合せてゴロゴロという鳴き声をためらうように 1 回出すのですが，その前に再度赤くなるのです。ノルマンは翌月は，七面鳥と共に奇妙な歌を作曲することに費やし，非常に表現力豊かな鳴き声を生成するための音量，音色や，鳥の本能を刺激する決定的なコードを解読します。ノルマンにとっては，困難なくして「種間音楽」を「種間コミュニケーション」と同一視することは叶わないことです。一般的な合奏というものに含まれる調性，和声，およびリズムの同調性は，このプロセスにはまったく存在しません。同時に音を出すという営みは代用が利かないのです。アメリカのミュージシャンはむしろ七面鳥の拍に合せることを学んだのです。

そうした限界にもかかわらず，この経験は長いことノルマンに記憶として残りました。彼はよりよく活用できそうな本物の音楽の可能性をそこに見た思いがするのでした。サンフランシスコに戻った彼は，パシフィカ・ラジオ・ネットワークから 2 時間のラジオ番組の依頼を受け，それに *Music to Eat Thanksgiving Dinner By* というタイトルを付けました。彼はカリフォルニアの農場で，ある刺激音に一様に反応した 300 羽の七面鳥の鳴声を録音しました。成功です。種間音楽の注文は倍増です。注文は 3 年間契約です。ノルマンはハーモニカを使用して，オハイオ州北部のカイヤホガ川沿いのコリンウズラ（bobwhite quail）と一緒に演奏します。1 週間をデスバレーのカンガルーネズミと一緒にタンバリンを叩いて過ごし，さらに別の 1 週間はカリフォルニア東部のピラミッド湖の近くの保護区でオオカミの群れの参加を得て，日本の尺八を演奏しました。1975 年，ハワイのビーチでハシナガイルカと丸 1 か月間音楽を演奏しました。さらに余勢をかって，非営利組織 Interspecies Communication, Inc. を設立します。それ以来，ノルマンは自分自身のエコミュージカルニッチに専念することとなります。彼は次の25年間を費やして，四つの海で異なる種類のクジラ目を使った音楽の作曲に従事するのですが，その種間コミュニケーション・プロジェクトは，科学というよりも，自分でも述べているようにコンセプチュアルアートに類するものです。彼はクジラやイルカのさまざまな種を使って音楽コミュニケーションのパフォーマンスを実演しています。

クジラには何か特別なところがあります。これらの人を驚かしてやまない哺乳類は，人の注意を引くのが非常に上手です。ノルマンがおどけて言うように，いかなるアーティストも，マダガスカルのキツネザルや，オーストラリアのスズドリやテネリフェ島やバンクーバーのゴンドウクジラとのように共演することはできません。アラスカではマーモットを観察するために何百万ドルも投資したプロモーターはいないと，彼は付け加えます。また，フロリダではカメと一緒に泳ぐ人はいませんと。イルカを見るためにモンキー・マイアに殺到する人々はいても，浅い沿岸水域でジュゴンが戯れる西オーストラリアの地域に行く準備ができている人を見つけるのは困難です。

ある日，北極圏で，愛撫できるほどの距離に，カラスがジム・ノルマンに臆することなく近づきます。カラスはその愛撫が好きでした。そのカラスは柔らかな口調でささやくように鳴くので，ノルマンは動物が彼に何かを伝えようとしていると信じています。カラスとのこのような出会いは，極北の土地では珍しいことでないわけではありません。カラスは人間とのつながりを確立しようとしており，非常に知能が豊かです。では，なぜかれらはクジラのような成功を収めていないのでしょうか？　カラスにはカリスマ性がないからと，ノルマンは説明します。彼の直観は間違っていません。私たちにとってある種の奇異性をもっている動物としか，非常に強い絆を確立することはできません[30]。ただしその場合，奇異性は私たちにとって理解できるものでなければなりませんが。ノルマンは，1976年にイルカと一緒に音楽を作って泳いだのが初めてだと語っています。捕獲されたイルカは，ミュージシャンや，曲芸師や，ピエロに自分たちのトーテムに祭り上げるべきだと言わしめるほどの本当の「俳優」ですから，多くの観客を魅了していることが彼には分っています。

しかしクジラとのコミュニケーションは自明ではありません。それは往々にしてかなり計画なしに始まります。ノルマンは，シャチとの種間サウンドパフォーマンスに関する映画が初めて作成されたとき，最終的に応答が録音されるまで4日待つ必要があったことを思い出します。録音はようやく夜に仕上がりますが，映画は

30　奇異性はこちらを不安にするものばかりとは限りません。私たちを魅惑したり，心を乱したりする奇異性もありえます。

出来が非常に悪く，何らかの方法をとるにしても使用に耐えませんでした。その美的品質は，作者の知的要求水準からはほど遠いものです。撮影クルーは何ら成し遂げることなくついに１週間も待つことになります。ノルマンが後悔をにじませて告白しているように，皆が期待したことが起きたのは出発の翌日になってからだったのです！

海洋哺乳類と一緒の音楽づくりは，どのような場合でも，常に高度に洗練された人間・動物の儀式の中で行われます。ノルマンは通常の半分のサイズのギターを選びます。通常のギターより１オクターヴ高い音が出せて，特にチューチューと声を出すイルカとの相互作用に効果的です。ある日，ノルマンは人気のインド旋律のラーガの「ジンジホティ」を演奏し始めました。開いた空間を思わせるメロディーです。彼ははっきりしたリズムを用います。30 秒ごとに演奏を休止します。次の 30 分はゆっくりと，しかし確実にリズムを早めますが，１頭のクジラたりともボートまで十数メートルに近づくほどの興味をもった様子はありませんでした……。クジラたちがそこにいるのは餌を食べるか眠るためなのです。ノルマンによく同行する生物学者のスティーヴ・テンプラーは，次のように述べます。「いわゆる『クジラ』があなたのコミュニケーション実験に反応することは決してあるまいと私は結論づけました。成功するためには，音楽の才能と他の種と相互作用する知的好奇心とをもっている数頭の個体を見つける必要があります。そのような個体は，この点から見れば，人間のようなものです。ほとんどのマッコウクジラは歌を歌うことができますが，特定の個体だけがアーティストなのです」[31]。

カラヘス・プロジェクトは，特に人間・イルカのコミュニケーションに重点を置いていました。ノルマンは，人間・イルカのコミュニケーションのパイオニアである生物学者ジョン・リリーに，イルカを岸に近づけてみようと提案します。ゴムボートに実験設備を設置しておき，そこで言語実験の次の段階を実施するのです。イルカは自由に行き来できなければなりません。網で囲ったり，何らかの反応に対する報酬として食物を与えたりしてはいけません。誘因として提供されたのは音楽だけでした。1983 年にカラヘス・プロジェクトがデビューします。メキシコのプエルタ・バジャルタの南 160 キロにあるホテルにちなんで名づけられたプロジェクトです。そこでは人間・イルカのコミュニティに関する６か月の研究がすでに行われていました。ノルマンは頭をよぎったたくさんの曲をまったくの即興で演奏し始めます。イルカは進路を変え，ボートから 30 メートル以内を徘徊し，そしてドアのきしむような音を出して反響定位します。イルカたちはこのアメリカ人アーティス

31　J. Nollman, *The Charged Border, op.cit.*, p. 103. に引用。

トの奇妙な音楽に大いに引き寄せられ，時々至近距離にまでに非常に接近してくるほどでした。数分の後には，再び群れを成して，そこから離れます。6か月後には，成果はどちらかというとはかばかしくありません。この音楽の誘因の魅力は10分以上は続かないのです。方法の大幅な変更が必要でした。特に，ノルマンはイルカが彼の存在を受け入れてもらえるまで，海に留まる必要がありました。そして，イルカが主導権を握ります。彼らは新しいゲームを作りました。ノルマンはイルカのランダムクリックに2拍子のポルカで応答します。イルカは自分の番になると自分のリズムでこれに応えます。ノルマンは，イルカのリズムに同期するようにしてジョニー・マティスの人気曲『Misty』を演奏し始めます。イルカ自身が人間と関わる時間をコントロールしたのは初めてでしたから，この方法は興味深いものでした。しかしながら，このプロジェクトはアッと言うほどの早さで終了します。

ジム・ノルマンは最終的に音楽による種間コミュニケーションの実験をシャチに集中させました。彼の関心は，これらの海洋哺乳類の発声がいつでも人間の耳に聞こえる周波数帯にあるということにあります。バンクーバーに住むシャチは，はっきり違う二つの発声様式を使用して互いにコミュニケーションをとります。それらは，鳴き声の周波数を変化させること（つまりメロディー）と一連のパルスクリック音（リズム）です。ノルマンのシャチとの仕事の重要で興味深い側面は，アメリカのミュージシャン自身が「礼儀」と呼んだものです。ノルマンはあたかもシャチを招待してもてなすかのように音楽を柔らかく演奏し始めます。その音楽で充たされた礼儀にかなった時空をつくり，シャチの時間に入り込むことが何を意味するかを感じ取ろうとします。シャチが離れれば，音を出すのを控えます。ミュージシャンが水に送り込む音も侵襲と見なされるかもしれません。もっと厳しく言えば，「コヨーテに与えられる殺害用の毒肉に匹敵する音響」と書いているように，ノルマンは常にこのことに留意していました。音の好奇心には危険がないわけではありません。死に至る可能性があります。人間の音楽に近づき過ぎるシャチは，明日には弾丸を浴びる可能性がありますが，これは単なる学術的な仮説などではありません。1986年に水中のシャチの80%に弾丸による傷があると分かったからです。

クジラのレパートリーではない単純な音楽のフレーズを繰り返すことは，シャチと接触するための出発点として最適です。たとえば，ノルマンは，エレキギターで同じブルースの和音を2晩繰り返し鳴らします。3晩目の夜，識別A6の若いシャチは，和音の進行を即興してコンサートに加わりました。楽器でソロ演奏するジャズプレーヤーのように，シャチは和声もリズムも合わせるように，すべてのコード進行を非常に正確に実演しました。ノルマンは，このデュオを人間と動物のコミュニケーションの歴史的な出来事であると考えました。数年の後に，A6は時折ジャズソロと比較できるメロディーを生み出すといったように非常に才能にあふれ，霊感を受けたようなソリストになります。ノルマンはすぐに A6 だけではないことに気づきます。A6 と一緒にいた母親 A2 が，地元の生物学者によって「ニコラ」と名づけられ，すでに注目されていたのです。

3章

友情の系統発生

ピタゴラスは友情というものに哲学の光を当てた最初の人ですが，たちまち友情に普遍的な価値を授けました。少なくとも，カルキスのイアンブリコスは，こう書き記しています。「ピタゴラスは万人に対する万人の友情をきわめて明快に諭すのである。すなわち，信仰と科学によって明らかにされた約定を経て示される神の人間に対する友情；もろもろの知識のお互い同士の友情；一般に，魂の肉体に対する，また哲学および哲学に固有な瞑想を介した魂の合理的な部分の非合理的な部分に対する友情；そしてギリシャ市民同士であれば法律の遵守を通した，また異国人であれば自然についての正しい理解を通した互いの人間同士の友情；堕落を知らない共同体における夫の妻や子どもたち，兄弟，近親の者に対する友情；一言で言えば，すべてのすべてに対する友情，それに加えて，正義と自然な絆と共同体を通じての理性を欠いた動物に対する友情が含まれる[1]」。言うまでもなく，最初からピタゴラスは種間の友情を当然のごとく想定しています。

アリストテレスは少し制限をかけています。アリストテレスは友情が二つの身体に宿る一つの魂であるとしつつ，友情の重要な二つの次元を強調しています。一方では精神的には統合であって，他方では肉体的には分離であることです[2]。このギリシャの哲学者にとって，友情は一つの形に留まるものではありません。たとえば，父と息子の友情とある人とその仲間との友情は違いがはっきりしています。この二つの友情が異なっていても，それら二つは本性では同じものですが，人間と動物の間の強い愛情には当てはまりません。このことから何が結論づけられるでしょうか？　種間の友情を特徴づける方法は？　種間の友情は今説明した古典的な枠組み，ピタゴラスの広義の友情，アリストテレスの狭義の友情に含めることができるでしょうか？

1　Iamblichus, *Vie de Pythagore*, 229-230, J.-C. Fraisse, *Philia*, Vrin, 1974, p. 59-60. に引用。
2　Cf. Diogène Laërce, *Vies et Doctrines des philosophes illustres*, V, 1, 20.

この章では，友情を，人間と動物をつなぐことができる特別な強い関係という主題として，真剣に問うことの可能性について議論します。動物行動学の中で動物間の友情に関する研究が少ないのはなぜか。よく調べると，それがタブーや避けるべき主題だからではなく，研究者の怠慢によるものだという結論に至ります。動物は愛することができると考えられています。特定の動物が愛を抱いていると見なせるということは，特定の動物が特定の他の動物に強く愛着を抱くことがあるかもしれないということを示しています。以下のページでは，たとえ人間同士の友情が独自の特徴をもっているとしても，そこに繰り広げられる実際の友情が人間と動物をつなぎうるという立論を擁護します。ここでもまた，友情を，複数の様式に従って生起する可能性のある現象であり，部分的には互いに他に還元可能ではない独立した現象と考えるのが適切です。一方でアリストテレスの考え方があり，片や動物行動学および人間と動物の関係における経験的な研究があります。それにもかかわらず，私は，人間の，動物の，そして人間と動物の間の愛着に適用できる友情についての，操作的でかつ説明可能性の豊かな定義の提案を試みます。

1. 動物同士は友だちになれるのでしょうか？　動物間の友情をどのように認識できるのでしょうか？　ある種の動物が別の種の動物と友だちになることはできるでしょうか？　アリストテレスがそう考えていたと言っても的外れではありません。とりわけ特に鳥の世界において，両親とその子孫をフィリア（アリストテレスの用語で「愛，友情または友愛」を意味する）がつないでいると考えています[3]。ピタゴラス学派，エンペドクレスやプラトンにとって，このフィリアは宇宙を普遍的な方式で結合する力です。

しかし，ここでは私たちは両親と子どもの関係，そしてより広くは同じ動物によって育まれる特別な関係に関心があるわけではありません。血のつながりのない動物同士の間で選択的な愛着は見つかるものなのでしょうか？

2002 年 2 月に，動物行動学誌『行動（*Behaviour*）』の友情特集号でのレヴュー論文で，ジョーン・B. シルクはいみじくも記します。つまり「友情という言葉はタブーだ。霊長類学者が研究対象の動物について同僚としゃべるときにその言葉を使ったとしても，彼らが公式には使用しない言葉なのである」。1985 年にバーバラ・スマッツが著書『ヒヒのセックスと友情（*Sex and Friendship in Baboons*）』の中で友情という言葉を使ったのが最初の例です。スマッツは，特定の雄と雌が互いにグルーミングし，一緒に寝て，そして互いに性的パートナーでなくても，また必ずしも子たちの父親でなくても，その雄は他の雄の攻撃から雌を守ることを記載しました。スマッツはこのように友情から発する関係について語っています。その後，デヴィッド・ワッツとジョン・マタニは，ウガンダのキバル公園で，頻繁に互いに

3　Aristote, *Éthique à Nicomaque*, VIII, 1155*a*, 16-20.

グルーミングし，一緒に狩りをし，食べ物を共有し，ひとたび争いが起これば互いに援護し合うある雄同士の友情を観察しました。

若干の動物行動学者が自分の研究している動物間の友情を語るからといって，早合点は禁物です。典型的な動物行動学者は，友情のような概念や，それが発現する核心となる一連の現象について疑問の目を向けてしまいます。そうした概念は，当の動物の行動をまっとうに説明できる諸概念には含まれておらず，それというのも科学的な方法で証明できることの外に位置するからだと言うわけです。

そのような否定的な態度は理解できません。科学としての動物行動学が取り組めるか否かということを，なぜ前もって先験的に考えなければならないのでしょうか？　動物行動学の歴史が示していることですが，科学者たちには，ある事柄が潜在的に科学的かどうかを見極める能力がまるでなかったということなのです。課題は，いずれにしても，それが科学的であるかどうかを決定することではなく，繰り返し見られる現象を科学的に研究する方法を見つけることです。目の前の動物集団の中で，ある動物群が他の動物群に特別な仕方で引き寄せられていること，そしてこれらの愛着が交互に頻繁にしかも継続しているということを誰も否定しないでしょう。ではなぜ，特別な結びつきと言うのではなく，友情と言うのでしょうか？　なぜ決まりきったようにそういう表現を避けるのでしょうか？　動物行動学者は，友情というものに対してきわめてロマンチックな表象を抱いており，友情をあらゆる科学の埒外にあると判断するので，友情を科学的に研究できるような概念分析の妥当性をとりわけ拒絶するのです。この動物行動学者は，その結果，問題の多いやり方で，次のように考えるのです。自己流に理解しているだけの科学的分析とやらの対象になりえない現象は，動物理解のためには，その現象がそもそも存在していることを事実上認めない，と。換言すれば，動物行動学者は，自分が動物について科学的に知っているものに動物を還元し，自分が動物について科学的に知っていることを，自分が動物について一般に知っていることのより広い枠組みには取り込もうとしないのです。西洋の動物行動学者は，可能性を秘めている分野を科学的知識の分野に還元してしまいます。彼は知ることの妥当性を検討することを拒否します。これは自分が私的に知っていることを公的には否定するという，動物行動学者の精神に統合の見られない姿です。自分の知識の限界は認めますが，それを否認する道を好みます。

しかし，なかにはそこを突破した動物行動学者もいます。たとえば，ジェーン・グドールはチンパンジーの間の友情関係は，ヒヒの友情関係からは近いとも遠いとも言えるので，その重要性を過大に評価することはできないと考えています。最も強い友情は母親と最年長の子どもたちの間にありますが，兄弟や十分に成長した雄も同様に特別な親近感を示します。グドールは空間的近接が必要であると主張しています。友情は，挨拶，リラックスした身体的接触，食べ物の共有，悲しみの中にある個体への慰めなどを経て示されます。マーク・ベコフは，22年間別れたままであった後に再び会いまみえる2頭の雌のゾウ，シャーリーとジェニーの物語を記しています[4]。かつて一時期，この雌ゾウたちは同じサーカスに属していて，明らかに互いを憶えていました。「ゾウは決して忘れることはない」という表現を超える最適な表現は決してありません。ベルント・ハインリッヒによれば，なわばりをもつ鳥がつがいの相手以外と，彼の用語である「友人」になることができるという，この考えは注目に値します。彼は，カラスが互いにつがいとなる前に「友人」になる必要があるという驚くべき動物であることを示しています。

象牙海岸のタイの森の一部の雌チンパンジーたちは，感情でつながる驚くべき連合体（association）をこれまた築きます。1987年8月から1989年2月にかけて，オンディーヌとサロメは66%，マリブーとプペは71%，ルクムとゴロワーズは79%の時間を一緒に過ごしました。これらの連合体は安定しているだけでなく，4，5年持続すると言うのです。これらの非常に強い結びつきは偶発的につくられたものでした。何らかの必然性に支配されてそうなったわけではありません。連合体は一方のパートナーの死まで解消されません。残された方は決して別の個体と連合体としての関係を築きません。私たちはこれらを友情としていいでしょうか？　ヘドウィグとクリストフ・ベッシュは可能だと断言します。この関係は密接な空間的近接に依存するだけではなく，頻繁な食べ物の交換や，闘争での相互支援に起因していると強調しています。ただし，2頭の雌が，それだからといって他の雌より多くグルーミングをするとは限りません。この2頭のチンパンジーたちの強烈な感情的側面には疑いの余地がありません。「ルクムとゴロワーズは，互いの姿を視界から見失うと，一方がすぐに叫んだり，泣いたりし，それに他方が反応します[5]」。雌の友だちはまったくの偶然から相手を選ぶわけではなく，いつもその属する社会階層は同じです。雌のチンパンジーの友情はこの大型類人猿の社会生活の特徴です。

2. 動物間の友情は少なくとも3種類に区分できます。これらのカテゴリー間で多少重複する可能性がある場合でも，注意して区別する必要があります。

—まず政治的な友情から始めましょう。多くの動物は，相手が自分の側のもの

4　M. Bekoff, *Minding Animals. Awareness, Emotions, and Heart*, New York, Oxford University Press, 2002, p. 4.

5　C. Boesch et H. Boesch-Acherman, *The Chimpanzees of the Taï Forest: Behavioral Ecology and Evolution*, New York, Oxford University Press, 2000, p. 105.

なのか，それとも反対の側のものなのかを注意深く区別しています。区別するといっても，これらは敵と味方ということでしょうか？　政治的な動物を優れて特徴づける才能は，友をつくるというよりも，同盟（alliance）を結成する能力と言えるでしょう。シャーク湾の雄のバンドウイルカがこの好例で，その洗練度で言えば高位に位置します。実際，このイルカは二つのレベルで政治的同盟を樹立します[6]。まずは2頭か3頭で組織づくり開始です。これらが「一次同盟」であり，雌がその中に留まらざるをえないような強制的なやり方で協力し合います。次に，同盟の同盟，「二次同盟」を形成します。ここでは他の同盟から雌を誘拐するか，あるいは他の同盟によって雌が略奪されるのを阻止します。すでに同盟に参画している雄イルカは，自分たち自身のために雌を獲得するというよりも，第3の同盟が雌を得られるようにそのライバルの同盟を攻撃します。

他の動物種の例では，たとえばサヴァンナのヒヒの場合がそうです。なぜある同盟が雌を獲得しようとする別の同盟を助けるのでしょうか？　互恵的利他主義または擬似互恵的利他主義が説明の鍵になります。前者の場合，各個体が相互に利他的行為を行います。擬似互恵の場合，利他的行動は，利他のためというよりは，そうすることによって，その行為から派生する他の利益を手に入れるために利用されます。上位の同盟が他の同盟を助ける場合には，擬似互恵は有効に機能します。この場合であれば，同盟が統合されることによって，当の雄イルカは難なく雌とカップルになることができます。イルカにおいては，こうした連合は血縁選択と相互互恵主義とが混ざった形です[7]。サラソタでは雄同士は往々にして血縁のある親戚ですが，だからといって協力と競争が同時になされている互恵関係を単純化してくれるわけではありません。すべての雄は多かれ少なかれこの互恵関係に関与します。一方，雌同士の同盟は非常に異なっています。雌の同盟は最初はサメの攻撃から身を守るために結成されます。雌の嚙み傷を調べると，この危険は単なる仮定の域を越えています。資源を護ろうとして他の雌たちと組もうとする雌は一匹も観察されませんでした。このような政治同盟は，劣位の2頭のヒヒ（*Papio cynocephalus*：キイロヒヒ）の間でも同じように成立しますが，中間位のヒヒと同盟を結ぶことによって，上位の雄たちを打ち負かことができたのです。

一友情に関するより性的な二番目の概念は，一番目の概念を適切に補完するも

6　イルカの同盟については以下を参照されたい R. Connor, R. Smolker, et A. Richard, «Dolphin Alliances and Coalitions», *in* A. H. Harcourt et F. De Waal (éd.), *Coalitions and Alliances in Humans and Other Animals*, New York, Oxford University Press, 1992.

7　これらのイルカについてはコナーが興味深い「擬似相互性」を述べている。R. Connor, «Pseudo-Reciprocity: Investing in Mutualism», *Animal Behaviour*, 34, 1562-1566, 1986.

のとなります。ヒヒでは，それぞれの雌には頻繁にグルーミングしてくれる特定の雄の友だちがいますが，1頭の雄は複数の雌の友だちがもてます。利点は相互にあります。雌をグルーミングすると，雄はその雌と交尾する機会が増えます。雌たちにとっては，雄の友だちは，自分たちと子どもたちのための保護役となってくれるのです[8]。オリーブヒヒ（*Papio anubis*）における雄と雌の間の「友情」と言っていい生殖戦略は，イルカのものと類似している可能性があります。

―最後の友情のもう一つの概念は，私たちの文化でこの言葉で理解しているものに近いものです。ドゥ・ヴァールは2頭の雌のマカクサル，ロペイとビートルが結ぶ関係を記述する時，友情について私たちが直観的にその言葉で意味するものに近い意味で用いています。と言うのも，ドゥ・ヴァールは，サルにおける，相手よりも強くありたいという意志のみならず，2頭が心底から感情的な関係の中で一緒に暮らしたいという意志を介入させているからなのです。加えて彼はただ一人，二重の結合を記述しています[9]が，これは厳密に言えば2頭の友だちを結びつける感情のしるしとして解釈できるものです。ドゥ・ヴァールの2頭の雌のマカクサルは，血縁関係はありませんが，2頭は何事も一緒に行います。順番にグルーミングし，それぞれもう一方の赤ちゃんにキスします。この雌のサルたちはウィスコンシン州の霊長類センターの中に住んでいるので，野生とは言えませんが，完全に飼い慣らされているわけではありません。

ジョイス・プールはまた，アフリカのゾウの雄同士の間に「友情」を見出しています。簡単にそれと識別できる敵から身を守るために，目に見える形で互いに連携を取るだけというわけではありません。この強い関係は互いに身体的に似ている雄間で確立されていました。プールは，彼らが同じ家族の出自ではないかどうか調べています。

3. 友情のより進展した状態，またはそのバリエーションは，恋愛の状態です。恋愛という言葉を動物に使うことに驚くかもしれませんが，ベルント・ハインリッヒはカラスが恋に陥ると表現することを躊躇しません。彼は，それがカップルの関係を長く維持するために支払うべきコストであり，決して怪しげな言い伝えなどではないと考えています。2羽の愛し合う鳥は，容易に互いを認識します。この2羽は一日中互いに離れることはありません。夜は一緒に眠ります。柔らかな声色で一緒に鳴きます。コンラート・ローレンツもまた，ハイイロガンが恋に陥り，雄と雌が互

8　Cf. B. B. Smuts, *Sex and Friendship in Baboons*, Hawthorne (New York), Aldines, 1985.
9　F. de Waal, *Good-Natured: The Origins of Right and Wrong in Humans and Other Animals*, Cambridge, Harvard University Press, 1996, p. 129-130.

いに強く献身的になると確信しています。同じタイプの鳥は性的パートナーが消えたり死んだりすると，強い悲しみを示します。このようなことが起きると，ハイイロガンの雄は再び新たなつがいをつくることはありません。南アメリカの雄のアライグマは同じ状況で一種の泣き声を発します。この叫び声は幼体が苦しんでいる時の鳴き声と似ており，そこには幼児への退行が考えられるわけです。雄のキンイロジャッカルは，雌に求愛する間，懇願の叫び声を発します。これらの呼びかけは研究者によって動物が恋をしている兆候と解釈されています。

マーク・ベコフはゾウもまた「人間のように」恋に陥ると淡々と書いています[10]。このアメリカの動物行動学者は，多くの種において，性的関係に至る前にせいぜいいい恰好を見せたいとでもいうかのように，恋の成就が叶いそうなパートナー間でのロマンティックな愛がゆっくりと進展するのを見ています[11]。ベルント・ヴュルジッヒは，アルゼンチンのヴァルディス半島の沖でのタイセイヨウセミクジラの求愛行動を述べていますが，アフロ（雌）とブッチ（雄）は，互いに向き合って回転し，並んだままで絶え間なくヒレに触れ，遅いゆっくりとした愛撫を始めます[12]。２頭のクジラは一気に浮上しながら一緒にダイヴィングし，互いに触れ合い泳いでいました。ヴュルジッヒはブッチとアフロを１時間ほど追跡して観察を続けます。彼は互いに強く惹かれ合っている２頭のクジラが遠ざかった後に「残光」を感じました。ヴュルジッヒがとりわけ興味深いのは，観察する対象から少し距離を置いているときで，２頭の動物が恋に陥るかどうかではなく，動物の間で起きていることについてのそうしたイメージが，動物を観察している人間にとってなぜ明快かつ正しく見えるのかを理解することだ，と言うのです。

4. 友情という関係には性的関係が含まれるのでしょうか？　ある種の鳥類，ハクチョウ，コクマルガラス，オーストラリアのカラス，クルマサカオウム，そしてムラサキオーストラリアムシクイなどの特定の種の間では，性的パートナーは鳥の生涯を通じて同じであるか，ほぼ変わることはありません[13]。

しかしながら，複数のケースについては検討する必要があります。それは私たちの文化からの過度の汚染を避けるためにです。ブルース・バジモールが正しく説

10　M. Bekoff, *Minding Animals, op.cit.*, p. 114.

11　ある魚類にも恋するように行動するものがあります。リー・ドゥガトキンも「グッピーの愛」を観察しました。グッピーは水族館で育てやすい小さな魚です。

12　B. Würsig, «Leviathan Love», *in* M. Bekoff, (éd.), *The Smile of the Dolphin. Remarkable Accounts of Animal Behavior*, New York, Random House, 2000, p. 63-65.

13　たとえば右を参照のこと。I. Rowley «Remating in Birds», *in* P. Bateson (éd.), *Mate Choice*, Cambridge, Cambridge University Press, 1983, p. 331-360.

明しているように，哺乳類にあっては，動物間の「パートナーシップ」はさまざまな形をとることができるのです[14]。アカゲザルとニホンザルは配偶者という形を採択し，私たちが観察したところによれば，ベニガオザルとカニクイザルはどちらかと言えば「性的な友情」であることが分かります。他には，雄のバイソンは「柔らかい絆」で結び付き，ボンネットモンキー，サバンナヒヒやヒョウの雄は「連合」結成という道をとります。（性関係を問わない）特別に決まったパートナーたちがいて，それと性を同じくする他メンバーとの性関係をもつことなく，そのパートナーたちとは他のメンバーよりは好んでかかわりをもつという，そういう例がボノボやゴリラやシャチ，そしてブタに見られます。別のタイプの関係は，「交際(compagnonnage)」の関係です。その過程では，互いに強く結びついていることがよく分かる同性の２個体が，異性との相互作用を排除し，だからといってお互いの求愛や性行為に及ぶことなく，大部分の時間を一緒に過ごすというものです。雄のゾウは若い雄と結ばれることもあります。この雄ゾウたちは相互に助け合い，他の象との頻繁な交際はありません。このゾウたちには他との性的関係はないようです。雄のハゲガオカザリドリ，オランウータン，コククジラ，ハイイログマ，チスイコウモリ，コトドリの間でも同様の関係が見られます。この交際は時には「トリオ」を結成します。

これらの友情も制約上の限界に達することがあります。アメリカアカシカでは雄同士の交際は，プラトニックのままです。雄のコトドリは，互いに言い寄り，追従し，一緒に食べ，一緒に狩をし，同じ水場で水浴びし，同じ穴を掘り食べ物を探します。雄のジャコウウシも，ペアの仲間を形成します。たとえ，かれらの間に求愛やいかなる性的行動も起こらなくても，かれらは一緒に旅をし，草を食べ，時間を過ごし，時には協力して他と戦うこともあります。そのような仲間はイボイノシシの間でもありますが，時々性的関係をもちます（しかし，雌と雄のペアはありません)。シラオジカでは繁殖期が始まると雄間の友好は終了します。２頭の雌は，逆に多くの理由で助け合うことができ，さらには子を育てるために一緒にいます。通常，年長の雌は若い雌と手を結びます。２頭の雌の間のこのような関係は，雌のカップルで自分たちの子どもを育てるハイイログマでも見られます。２頭の母親は，夏と秋の間一緒に旅しながら食べていきますが，性的関係は生じません。かれらは互いを保護し，時には一方の雌の子どもに食事を与えます。子どもは，２頭の雌を親と見なし，どちらの母親にも区別なく応答し，従います。２頭の雌のうちの一方が死んだ場合，もう１頭は他の雌の残した子どもの世話をします。秋になると，２

14 B. Bagemihl, *Biological Exuberance. Animal Homosexuality and Natural Diversity*, New York, St. Martin's Press, 1999.

頭の雌は一緒にいることはありませんが，互いにすぐ近くで冬眠の準備をします。そして，この準備段階の間は一緒に眠ります。初雪が降ると，この雌たちは嫌々土の中に潜り込みます。冬眠の後も仲間関係は続行します。同じ年齢であろうとなかろうと，２頭以上の雌はこのような集合体に参加することができます。雄のヒョウの間では，性的関係を含めて，非常に強い仲間関係が存在します。30％は血縁のない個体同士で，大部分は兄弟です。頻繁に互いの身づくろいをし，緊密に接触して休み，一方が離れる時には塞ぎ込み，互いを探し，鳥の鳴き声に似た「キャンキャン」や「チュウチュウ」と鳴いて互いを呼びます。

リスザルの雌は，他の雌と非常に近い関係になり，その雌と一緒に移動したり，休んだりします。このきわめて感情的な関係には，「共同育児」が含まれることがあります。２匹の雌は頻繁に手に触れ，キスし，抱き合います。この雌たちが母親になると，互いに共同で子どもの養育を助け合います。子どもたちは，しばしばかれらの「共同の母親」に対する愛着を発達させます。しかし，これらの雌たちに血のつながりはありません。夏の間に，コククジラには性的関係がなく，一緒に旅をしたり食事をしたりして，頻繁に同性のペアまたはトリオで交友関係を形成します。雌たちは，一緒にいること以外いかなる目的もなく，海岸沿いを移動し，頻繁に雌たちの横ビレに接触しながら，互いの横を泳ぎます。呼吸，ダイヴィング，水からの飛躍は同期しています。雌たちはまた，腹をこすりながら互いに向かい合って転回し，これらの連携した行動のうちのいくつかは，数時間続くものもあれば，数日間続くものもあれば，毎年更新されるものもあります。

5. アリストテレスは，友情は出自がはっきりと確認できるコミュニティ内以外では起こらないと考えました。友だちとなるためには，何にも増してある程度定められた空間で一緒に暮らすことが前提となります。いかなる場合でも，決められた空間と時間的近接性のなかで，各個人同士がそれぞれはっきりと識別される必要があります。エピキュロスは，隣接関係を超えた友情を確立した最初の人物でした。彼はこの考え方を自らのコミュニティにくまなく拡張しただけでなく，さまざまなコミュニティからなるコミュニティの全体に対しても拡張するのです。キケロもこの方向に進み，友情における共有された意識の役割を最小限に抑え，反対に，生活を共有するだけでなく共通して営まれる諸活動によって確立される，行為主体から行為主体に向けての（キケロは人から人へと言います）関係を重視します。この古代ローマの著述家にとっては，生活の共有と共同活動は友情にとっての２本柱となるのです。

ここに感情的な次元を追加することはできるのですが，今日私たちが加えたくなるほどには，必要性があるわけではありません。結果的には，友情は選択的接近に関する研究の非常に強力な方法となります。新しいアイディアが現れます。友情は，理想的な友情を思い描いてそれを模倣するというのではなく，選択的な冒険（adventure）を通じて共同関係を築くことであるというのです。友情はさまざま状況で生まれるのであり，よく見かける単純であらかじめ考え出された枠にはまった考え方から生まれるものではありません。ギリシャ人たちが，今日のよりもはるかに豊潤な友情の概念を思い描いていたことは明らかです。「好きである（to like）」ことを知らせるために，古代ギリシャ人は少なくとも四つの動詞，eran，stergein，phylein，agapan を使用するのです。フライドポテトの味に対する嗜好，正義への敬意，子どもへの愛着，妻や夫への心底からの愛情，愛の表面的な魅力を，たった一つの言葉で表している私たちはなんと貧弱な内的世界に住んでいることか。

さらに，アリストテレスは非常に面白いアイディアを提案しています。友情は非対称的だというのです。もっとも良い，あるいはもっとも有益な手段をもつ友が，私たちが探し求める平等にもっとも近づくためにより多くを与えることができるということです[15]。しかしながら，アリストテレスはこのプロセスに若干の限界を課しています。私たちは岩とは友だちになれません。このように，相手とコミュニケーションが取れないときは友だちになりようがありません。動物は岩とは違う立ち位置にいます。動物が生み出す友情は潜在的な永続性です。友情が適切でありうる限りにおいて，コミュニケーションの取れない昏睡状態にある人間に対して「それは私の友人です」と言うことができるのは，ばかげたことなどではありません。友情は可能でさえあれば，永続するのです。若干の動物相手に可能なことが，岩相手では絶対に駄目なのです。

アリストテレスは，友情と正義を慎重に区別しましたが，彼にとってはこれらは異なるものではあっても，非常に近い隣接領域にあるものです[16]。この友情と正義という二つの現象に含まれているプロセスは，同じ人間に対しては等しく規制をかけ，同じ対象に対しては等しく負担をかけるプロセスです。ただし，すべてのコミュニティがさらに正義と友情によって同時に構築されている場合でも，これらの類似性が一つに収束することを意味するものではありません。興味深いことに西洋文化の中では，動物の擁護者たちは自分たちが正義の領域にのみにいるものだとして，友情の領域にいるなどということが偶然にでも決して起こらないか，起こってもごくわずかに過ぎないほどに，つまりそれを適切に扱うことも，拒否することもなく，友情をまったくと言っていいほどに見過ごしてきました。しかし，このこと

15　Aristote, *Éthique à Nicomaque*, VIII, 8, 1158*b*, 25 *sq*.
16　*Ibid.*, VIII, 8, 1159*b*, 25-27.

は動物と一緒に暮らしている人々が常に言及していたことです。

友情は，何よりも，特段の優先的な関係として現れます。その優先的な関係は生物が自分たちの間に確立できる他の関係とは異なるいくつかの特徴を中心に組み立てられます。それは功利だけから発するものではなく，血縁に関する個体にのみ関わるものでもなく，長期間継続するものです。友情はすぐ消えてしまう一時的なものであってはなりません。それは，必然的に時間の経過とともにあります。そのうえ，それは強制されるものではありません。私たちは他人に友人であることを強制することはできません。私たちはせいぜい友だちのように振る舞うことを強いることができるだけです。他の大多数の連繫のあり方には，上記の少なくとも二つの要因を見落としています。多くの場合，友情はこれらの連繫に参加している個々の間の強い感情的なつながりを中心に，おまけとして組織されています。しかし，この特性はまったく必要ではないのです。今の議論のなかで，この点はとても重要です。なぜなら，動物が実際に愛着的な感情をもっているかどうかを尋ねることに過度の時間を費やさなくてもいいからです。

友情は，他者のことを気に掛ける，他者への配慮という観念を通して効果的に理解することができます。友人とは私が気に掛ける人です。友人は私を気に掛けてくれる人です。このアプローチには大きな利点があります。友情は感情的なものとしてより，選択的な親和性として理解できます。この意味で，それはアリストテレスの古代的で非心理的な伝統的な友情の全体象に回帰します。これは彼の後に続く西洋の伝統とは異なるものです。自分の銀行口座を気にかけるといっても，口座をどこか友だちに似た何かになぞらえているわけではなかろうと反論がくるかもしれません。その人は正しいかもしれません。しかし，私が自分の銀行口座を気に掛けると言うとき，この表現は不適切です。何よりも私が気に掛けているのは，銀行口座の所有者，今の場合はつまり私自身のことです。「気に掛ける」ということは，他者との関係に対する一つの知的なあり方のことです。この他者との関係のあり方は，二重の意味をもつ可能性があるのですが，これをしっかり区別する必要があるのは，今問題になっている二つのあり方が往々にして補完的なものだからです。他者のことを気に掛けるということは，他者を価値のあるものとして扱うことです。それがあるところのものにとっての，即自的な価値。それがなしうるものにとっての，あるいはそれが自分以外の他者にとって表しうるものにとっての，対自的な価値です。人質を取った場合，人質たちは誘拐犯たちにとっては対自的な価値であり，そして誘拐犯たちの交渉相手にとっては即自的な価値です。これで分かることですが，アリストテレスのように，「友人は別の私である」ということを主張するよりも，私は私自身が私の友人でありうると言って表現を逆転させます。これは言わば，どの精神科医も認めざるをえないように，自分が自分の最良の敵にしかなれない人々を多勢知っているからなのです。

もう一人の私である友人については，二つの意味で捉えることが可能ですが，一方はより豊かな意味をもっています。友人は自己の分身であるか，友人は自己の延長であるかです。後者の意味は，はるかに重要です。アリストテレスが，友情を「一つの精神が二つの肉体に宿る」状況と見ることで，二つの解釈に扉を開いてくれていることは重要です。この自己の拡張という二番目の方法には，より豊かさがあります。なぜなら一度与えられ固定した自己を消化吸収しつつ複製していくのではなく，自己を他者と組み合わせて更新するという利点があるからです。こうした見方からすると，友情は，無視できないリスクを冒す冒険であると考えるさまざまな理由を説明してくれます。それは他者へ開かれるという危険です。友情には，アイデンティティに裂け目を生じさせ，その裂け目を修復してアイデンティティを再構成するという関与の仕方があります。友人は別の自己ですが，このことは友人が自ら愛着をもっている自己を変えるためでもあります。友情は，絶えず自己を超えて生きていく能力を描いています。

私が関心のある非心理的アプローチでは，友情のいくつかの特性が重要です。それらは議論の前置きとして明確にされなければなりません。友情は，まず第一に，特別な選好，好きであることに基盤を置いているということです。これは純粋に功利的な基準，またはもっぱら心理的な基準に還元することなどできません。ある行為主体Aが他の人よりも行為主体Bと多くの時間を費やし，Bと共により多くの活動を行う場合，AはBを優先している，好きであることになります。この好みは，人間のある特定の動物に対する好みだけでなく，動物の当該の人間に対する好み，またはある動物の他の動物に対する好みでもあります。友情という関係は都合によって左右されるものではありませんが，選択という経緯によって構築されていきます。友だちは選ばれることによって友だちとなるのです。調和して仲が良いこと（harmonie）と選択的親和性は，特定の種の個体間で確立されることはあっても，種間で確立されることはあまりありません[17]。これらの特殊な親和性は，意味，興味，愛着が共有される複合的なコミュニティで発達します。ローベルト・ムジルの作中の人物ヴァルターは，このことを強く感じています。「彼の信念は，どういうわけでそうしているのかは分からないが，それぞれの人間が動物を所有しているものだ」[18]。友情は決して抽象的なものでありません。「動物の友」は抽象化を尊敬し

17　このシナリオはあり得る。アルド・レオポルドは，木は好きだが，松には恋していると言っている（*Almanach d'un comté de sables*, *op.cit.*, p. 98.）。

18　R. Musil, *L'Homme sans qualitie's*, Paris, Seuil, 1979, t. 1, p. 730.

ます。でも，ここにいるこの猫の友だちは現実です。この友情関係は交互的である必要があるのでしょうか？　最低限度に交互的であることは必要でしょう。実際，ある程度の対話型の関係は少なくとも求められます。こちらに関心のない生き物と友だちになるのは難しいのです。これが，人間と動物の間で共有される友情が，ある程度の複雑さ，特に神経学的複雑さを獲得した種を除いては形成できない理由です。人間と犬は友だちになることができます（ルクレティウスはこのことをよく理解していました）が，人間とアリにとってはより困難です。さらに，人間は，特定の犬と友人になることができますが，別の犬とはそうはならないことがあります。

—しかし，アリストテレスが指摘したように，この交互関係は非対称的です。人間と猫は明らかに異なった形で結びつきます。人間は猫に対する愛着を，たとえば友情というカテゴリーに分類できます。しかし猫の方はおそらくその能力がありません（それを確かめる実験はありませんが）。率直に言って，友情が非対称である場合もありえます。彼が私の友人であるからと言って，私は私の友人の友人である必要はありません。私のことをまったく気に掛けていない人を気に掛けることはできます。私は相手が恩知らずであっても，友情を維持することができます。ポジティブな相手でないと友だちになれないと信じるのは空論であり，当てはまらない事例はたくさんあります。付き合うと自分の利益に反する人たちとも友だちになることはできるので，つまり，こうした問題のある友情は純粋に想像上のものなのではまったくないのです。

—反対に，友情は強要を介してはけっして成立しません。これは選択的関係に関わる特徴です。私は相手に私と協力するように強制することができますし，ルソーが言うように，自由に振る舞えと義務づけることさえできます。ですが友人になれ，と強いることはできないのです。少なくとも，そう思えるのです。というのも，いまの文言はおそらく多少は和らげて考える必要があるからで，この考えは友情というものに関する，たぶん最も波乱含みの特質なのです。マントヒヒで見られる，母親が別の母親の若い個体を誘拐したり，雄が自分が守るべき若い雌を誘拐し，後に性的パートナーとするなどという場合，これらは限界的な状況となっています。

—選択的関係とも関係しますが，親族が友人になることがありえるのは当然とはいえ，友情は血縁系に依存しません。エドワード・ウィルソンの著作や，社会生物学を標榜する著者たちの文献の中で，友情の概念を暗示するものがまったく見当たらないことは何ら驚くべきことではありません。もともと社会生物学のような本質的に機能主義的な動物行動学には，そのような行動の研究をする場所はありません。この分野の概念では，利他主義が論理的に友情に取って代わります。他者のために自らを犠牲にすることが，他個体へのただ単なる一途な愛着からではなく，各行為のコストとベネフィットを比較衡量した多少とも有効な打算からそれが生じるということです。ただし外から見ると，これは利害とはまったく無関係に思われますが。

―同様の理由で，生物学的共生は，友情と見なすことはできません，というのも，真の共生はすべて必然的なものであり，かつ選ばれたものではないからです。

―友情はまた他者への関与（engagement）によっても特徴づけられます。友だちとは，ある人のために自分自身をかかわらせる準備ができている人のことですが，またその人に対して関与する用意のある人でもあります。換言すれば，友情における他者とは，犠牲を払うに値する価値があり，そして同時に，私が気に掛ける生き物のことです。動物は他者に関与することができるのでしょうか？　約束を守れるなら，できます。本当ですか？　ある種の動物については結論を留保しますが，多くの動物ではこのことは否定的です。動物は自分自身を関与させることができません。ただし，このハンディキャップは調整される必要があります。かかわりの遂行が不可能でも，動物はまるで遂行できるかのように振る舞うことができます。例を挙げれば，犬が主人を守るときのように。動物が関与しないのは，その行動が約束という言葉では説明できないというだけであって，取るべき行動という点から言えば多かれ少なかれその現場の状況に直面していたからという理由からです。たとえば，優勢な相手に対しての降伏やなわばりの防衛を考えたらいいでしょう。人間だけがこの行動の遂行に匹敵する行動を表現できます。たとえさまざまに機能的な定義を与えることができるとしても，それは今述べたことに対する反駁にはなりません。残る問題は，動物が勧誘する対象となる人間は常に特定の人間であり，人間一般ではないという点です。例外はありますが，それはイルカやおそらくゾウの場合で，確かに問題のある例外です。しかし，集団行動の場合は，私たちには友情について話すことにはまさしくためらいがあります（イルカと人間との関係に注目すべきページを割いたプルタルコスとは対照的です）。

―友情は，またその時間的な力学によって特徴づけられます。友情は持続します。友情，それは，一生涯にわたる愛着，または少なくとも生涯のかなりの部分に及ぶ愛着によって起きます。友情は，純粋に状況に左右されるものでもなく，局所的・限定的なものでもありません。一歩進めて言えば，私たちは友情を育むことができます。友情は時間の経過とともに成長し変化します。失わないためには再活性化すればいいのです。関与について語る場合，関与する人の人格を考慮することなく語れるものでしょうか？　そのようなことはないようです。しかし，動物は人間との関係でそのような性格（personnalité）を獲得します。対角線（diagonal）の情熱が，動物が「誰」であるかを明らかにしてくれます。人間がこれらの愛着あふれる感情を経験し，しかもそれが非常に激しいものであるが故に，動物はこの人間にとって個の地位としての存在となるのです。似たような理由から，人類の歴史の中で，人間が何度となく動物にあてがおうとしてきたオブジェないし機械という地位を，動物は人間に対する立場としては，決定的に捨てるのです。人間と動物の間の友情においては，大きな二つの変化が起こります。一つ目は，動物が特定のアイデンティティを獲得するという変化です。二つ目は，人間が感情的な援助を受けるという変化です。「援助」という用語は衝撃的かもしれませんが，それは正鵠を射ています。友情は基本的に方向性があるのですが，人間同士でも，方向が対称的であることはめったにありません。

—ある種の友情の形態は一連の強い愛着の結びつきでつくられるかもしれませんが，これを友情の前提条件にする理由はありません。これらの友情の形態は，特定の種間で見られる友情を特徴づけるものであり，しかも強制力をもつものではないことを考慮する必要があります。さまざまな種の中にはグループごとで異なる友情，また同じグループの中でも個体によって異なる友情さえあるのですから。

ここで，動物との友情について話すのは不当なことでしょうか？　安っぽい擬人化の証明とはならないでしょうか？　こういう形の不安にはそれなりの根拠があります。ということは正しい不安なのでしょうか？　私は正しくないと思います。不安がとりわけ明らかにするのは，二種類の別々の現象がほとんど独りでに一つに収束してしまうことです。まず，友情に関する概念分析が無視されてきたこと。次に，私たちを動物に近づけ過ぎるものに対する現実的な（また文化的な）恐怖。私たちは誇張されたロマンティックな友情という見方に慣れているので，人間と動物の間にそうした事例があることが不快なのです。私は，したがって続くページでの議論のために，非常に正確で操作的に友情というものを定義づけようと思います。友情は２人または複数の当事者間のあらゆる選択的な愛着で，特段の功利的な理由がなく（このような関係は功利的であるかもしれませんが，それが追求されることが功利的という理由ではありません），情動のあるなしにかかわらず，かなりの長期間にわたって維持されるものです。この愛着の本質は，それに関与している行為者の本質と同様に重要ではありません。友情のこのような定義を通して，読者は私が心理的観点ではなく友情について論理的観点を採用していることを容易に理解できると思います。論理的観点は，位置の説明（誰が，誰とどこにいるのか？），心理的観点は意図および心の内部の説明に関係しています（行為主体ＡがＢと一緒になっているのはなぜですか？　Ａは本当は何を求めているのですか？）。友情は必然的に意図的なものであり，心理的な好みに基づいていると言って私に異議を申し立てる人がいるでしょう。まさしくそのような広く行き渡った通念に反対するからこそ，私は友情を別なふうに考え，種間で捉えようとしているのです。すると，私が論じているのは友情ではなく結びつきではないかと反論する人もいるかもしれません。この反論に対して，私は二つの重要な基準を主張します。一つは，選択性と愛着，そして必然性の欠如（友情は選択された愛着を指します）と，もう一つ，このつながりの功利性の欠如（友情は機能的態度ではなく実存的態度）です。このような定義によって，心理的な観点で友情と見なされるものすべてを再検討することもできますが，私は友情をずっと拡大して考え，それによって西洋文化で伝統的に考えられてきたものと違う，より豊かな意味を与えることができます。

4章

動物を介した感情の調整

19世紀のイタリアの詩人ジャコモ・レオパルディは，動物が経験する生き生きとした喜びが，それを観察する人間に「抗しがたい悲しみ，怒り，嫌悪感，落胆の感覚」を生じさせることを不思議に思い，関心を抱きました。動物でさえも，自分が共有していない，同種の仲間の喜びを見ると不快を感じます[1]。人間自身は動物を介しておのれの強い感情を調整することを学び，特定の動物がいることで安心することができます。また他者の下での感情の調整に習熟しています。共通の系統発生上の記憶には，間違いなくそこに何らかの意味があるはずですが，誰がそれを憶えているのでしょうか？　人間の文化的記憶は，動物との回想の記憶と衝突します。それらの記憶を支障なく呼び起こすには，怪奇小説家のハワード・ラブクラフトに倣わなければならないのでしょうか？

感情が友情関係に不可欠ではないにしても，感情のいくつかは人間と非人間の間を含めて特別な位置を与えており，この友情という現象に感情が果たす役割を理解することが重要です。この本で主張している論理的観点に忠実に，私は問題になっている論理的および非心理学的な説明に，私の考察を向けたいと思うのです。結論を言えば，私は種の境界を超えるこれらの感情が何であるかということとそのメカニズムには興味がなく，人間と非人間の配置における感情のもたらす意味の生態学に関心があります。この文脈においては，ゲームという状況には特に興味深いものがあります。なぜなら，ゲームは，種間のポジティブな感情が最も強く表に現れる状況の一つだからです。種間ゲームは，この点で注目に値します。非常に少ないコストで肯定的な感情を育むことができる楽しい活動です。1995年に私が提案した仮説に戻ります。すなわち，人間は存在論的孤独に苦しんでいる種であるというものです。その孤独が現実か想像かはどうでもいいのです。にもかかわらず，他の種へ人間の心を開放することは単純な心理学的メカニズムによって説明することはできません。家族というものが親密さの最も現れる領域（球体）を構成しているなら，どこまで人は「家族」としてやって

1　G. Leopardi, *Pensées*, Paris, Allia, 1994, *Zib.*, 4481-4482, 3 avril 1829, p. 114, note 3.

いけるのか，どこまで家族空間を開くことができるのかを問うことは正当なことです。抽象的には，動物は人間ではないものと双子なので，人間は自発的に動物との選択的関係を，その関係を構成し維持することを助ける感情的な球体の内部に書き込みます。さらに，このプロセスの最終段階では，人間の動物に対する同一化という段階に至りますが，この研究は依然として大部分はまだ手が着けられていないままであることをお話します。

1. 動物から湧き上がる感情に人間が魅了されるのはなぜでしょうか？　人間は，どうして自分からは遠く離れている存在である生き物の感情をこれほどまでに気にするのでしょう。人間は，感情の共有空間を構成することによって，動物の感情を自分のものにすることに成功します。これは擬人化された心の投影に過ぎないのでしょうか？　言葉は重要であり，正しく使用する必要があります。ここでは動物の思い出話ではなく，動物について私が感じていることを話しましょう。私は自分の感情を間違って解釈する可能性がありますが，この近視眼的見方を擬人化と決めつけることはできません。動物行動学者は，この観点からすると，特別な立場に置かれています。野生動物に関する彼らの知識は，猟師の知識と隣り合わせですが，唯一の違いは殺すのではなく，記述し，撮影し，理解しようとするところです。動物に対する彼らの感情は猟師と同じですが，その感情について個人レベルでは豊かであると判断しても，専門家の立場からすれば非科学的であると判断する点で異なります。科学は，それに仕える人々の感情を常に否定してきました。ましてや，その位置づけがたえず曖昧な動物が相手となれば当然です。動物と人間の遺伝的近似性は，感情が両者で共有されていることを正当と認めるものですが，学問の権威である大学はそれを常に軽視します。共通の遺伝子の割合はほとんど問題になりません。共通の遺伝子が存在していることに比べれば，割合などどうでもいいようなものです。さらに，動物の生活に見られるある種の出来事は，それを初めて見る人間には激しいショックを与えます。誕生，死，または暴力の発現は，人間自身も直面する生物の基本的な状況なのです。友情と愛情もやはり心を乱されるものに違いありません。

ゾウの調査保護団体の創立者でもあるジョイス・プールは，ケニアの草原の中で 18 か月間ゾウを観察しました。特別な行動は繰り返し観察できるものではありません。そのような自然観察は時に感情の嵐を起こします。人間は，それが動物の感情であると自然に認識し，それを共有するのです。その人は間違っているでしょうか？　その人は，実証主義者たちが安物の擬人化と呼ぶものに自身を沈めるのでしょうか？　その可能性はあります。特定の動物についてでもそれが何か問題になるでしょうか？　私の関心事は別のところにあります。人間は，特定の動物について（他の動物では駄目ですが）そこで起きている感情的な意味を知覚し，純粋な学問的観察から離れて，その感情に圧倒されます。最終的に正統的な動物行動学的観点から疑問視される可能性のあるものでも，人類学的な観点からは疑いを差し挿む余地がありません。この段階では，感情の存在論的なあり方はほとんど問題とはなりません。

ゾウの子の誕生には，典型的な価値があります。タルーラは出産したばかりの雌のゾウです。朝8時39分のことです。母親は落ち着いて，静かに生まれたばかりの赤ちゃんの上に立ち上がります。前足でそっと触れます。赤ちゃんは小さな足を応答して動かします。タルーラは，自分の牙を使って，まだもつれている羊膜嚢から赤ちゃんを解放します。前足の周りの草を掃除します。赤ちゃんが動きます。タルーラはますます興奮します。地面をますます激しく掻きます。家族の面々が到着し始めました。8時47分です。一同は頭と耳を高く保ち，母親と赤ちゃんの周りを走り回ります。そして排尿し，大音量で鼻を鳴らします。タルーラは赤ちゃんを足に乗せ，立たせようとします。他の雌たちは母親の周りに輪をつくり，鋭く叫び声を発します。トランペットが吹かれたように鼻を鳴らします。雌たちは大声をはり上げます。涙腺が雌たちの顔を涙で浸します。観察しているジョイス・プールはその現場から50 mの所です。彼女はゾウの細かな感情を見逃しはしません。またその感情に圧倒されています。8時56分に，赤ちゃんは足で立とうとしますが，立った状態を維持できません。2分後，再び立ち上がりますが，非常に不安定なままです。最終的に立っていられる平衡状態を保つまでに30分かかります。アフリカの草原の未来の巨人となる赤ちゃんゾウは，その不器用な努力のなかで，悲壮感溢れるほど弱弱しく見えます。雌たちは若い母親の近くに次々と到着しており，タルーラ以外の家族に属するものさえいます。グループの興奮は最高潮です。何頭かの雌たちは頭を高く上げ，牙を上げて白目をむいて膝立しています。ジョイス・プールは書いていますが，雌たちは出産に立ち会ったという興奮状態の中で，若い霊長類であるプールが，ゾウではないということを忘れていたかのようです。最後に，出生の40分後の9時21分に，赤ちゃんは最初の一歩を踏み出します。雌です。タオという名前になります[2]。ここでは私はプールの説明を慎重に再現しています。細かい記述には余計なものはありません。それらの記述は，表面的に捉えられた瞬時の印象ではなく，逆に人間の知性を呼び起こし，人間の感情を捉えるものであって，非常に大きな複雑さが生み出した出来事であることを示しています。

大型哺乳類だけが私たちの感情を揺さぶる種ではありません。昆虫にも，若干

2　J. Poole, *Coming of Age with Elephants. A Memoir*, New York, Hyperion, 1996.

ではありますがそのようなものがいます。昆虫学者でありこの分野の書き手である作家のエルンスト・ユンガーは，昆虫が精巧かつ暴力的と言っていいほど人間の魂を揺さぶることを理解している人の一人です。この表現は大げさなものではありません。「私は30匹のフンコロガシを見た……。シチリアにいたことから知っていた種のどれにも属していなかったが，大きな首と漆黒の前翅と横紋の深い溝をもつ，地中海西部の海岸にいるものの仲間だ。かれらの仕事は徹底的で人間のようだ。大きな糞玉を目的地に運ぶために，小さな労働者のように糞玉を押していた。私はガリバーのように膝を屈めてじっと観察した。この集団作業を見ていると，言語活動も関与しているのではないかと思うほどだ。この暑くて静かな朝，硬い鎧に覆われた足の擦れる音や，小さな飛行機の爆音にも似た乾いたブンブンという羽音しか聞こえなかった。この日，私はエジプトのレリーフにあるような，この動物の飛んでいる美しい姿を初めて理解した……。そのような遭遇は（ユンガーは，またトカゲも観察しています），私たちに，恐怖，目眩，人生の深淵に直面するような感情を引き起こし，そして，動物はしばしば，秘かに，捉えどころのない，不思議なかたちで私たちの前に現れる。かれらの顔，踊り，遊びは，私たちにきわめて謎めいたイメージを与える。それぞれの虫に対応する記号が私たちの心の中にあるみたいなのだ。私が狩猟に興味をなくして以来，このフンコロガシの観察は最も感動的なものだった。しかし，ここに紡がれている絆は非常に秘密の性質を帯びたものである。つまり，私たちは蠟で封印された手紙の内容を予感するように，秘密を予感するのである」[3]。しかし，このドイツの作家は，フンコロガシの行動に世界秩序の秘密との符合を見るというロマンティックな思いに，あまりにも囚われています。動物が人間に開かれていることを理解することで十分であり，他の隠された秘宝を推測する必要はありません。

2. 突破口の一端は遊びによって生み出されます。遊びという行動は，人間の感情と動物の感情との間にどれほど強い関係が成立するかを理解するうえで興味深いものです。遊びは，そこに表現される豊かさ，調和，喜びを通して人間には理解しやすい行動であるだけでなく，人間と動物との関係の特別な空間をつくり，種間の接触の場で生ずる肯定的で特別な感情をもたらすからです。普通の友情もそうですが，遊びは，特に種間の友情が開花する特別な空間です。

定義の難しさを考えると，遊びの定義が満足できる形でなされてこなかったことは驚くに当たりません。「遊びは生まれてからすぐに始まり，特定の目的のない

3　E. Jünger, *Le Cœur aventureux*, Paris, Gallimard, coll. «L'Imaginaire», 1969, p. 173-175.

ように見える，原動力となる活動のすべてを含み，その中では，他の文脈に属する動力構造がしばしば形を変えて行使されたり，時間の順序を入れ替えられて用いられたりする。この活動が他の動物に向けられている場合，私たちはそれを社会的遊びと呼ぶことができる」[4]。このような定義は，ダダイストがよくやった悪ふざけの極限の形でしょう（真面目の精神が遊戯の暴発するぎりぎりの限界まで追い詰められるようなものです）。そして，この定義には他にも欠陥がないわけではありません。とりわけ，ケージ内に飼われている動物の常に繰り返される行動（常同行動）が，完全にこの定義に当てはまってしまうからです。

動物の遊びに対する科学的アプローチは，時として何の必要性もないような前提というものから出発し過ぎるようです。たとえば，遊びは大人になってから役立つ，より効率的な行動への準備のための行動であるといった，いわば不必要な行動と見なすことです。動物の子どもは遊びで狩りをします。成長した時に，狩のエキスパートになるように練習しているのだと言うのです[5]。このような仮定は魅力的ですが，実証的な証拠がありません。それが本当だとしても，遊びの効果が動物が成長したかなり後に現れるのであれば，実証的なデータを得ることはとても困難です。この遊びの見方は二つの問題ある前提に基づいてます。遊びは特定の目的のない自由な行動であり，容易に見分けられるいかなる目的にも対応していません。そして，この目的のない自由な行動にも，どこかに機能的な有用性がなくてはなりません。

もう一つの遊びについてのアプローチは，遊びの行動自体よりも遊びが生まれる契機に注目します。遊びは，動物が何か他のことをしなければならない必要性を逃れようとする時にこそ現れるというのです。遊びの出現は，動物が周囲の環境からどのように振る舞うべきかを強いられる，その束縛に従わないときに起きるというのです。このことで，なぜ昆虫が遊ばないのかを説明することができます。つまり，昆虫は必要のない行動をすることがないのです。かれらには不必要な行動をする可能性がありません。そのことがわずかでも明示されていれば（たとえば意味をもつサインがないというような），昆虫は遊ばず，ただじっとしているのです。この観点からすると，昆虫における不活発さと哺乳動物における遊びは，そこに必要性が見られない運動という点で同じです。

4　C. Allen et M. Bekoff, *Species of Mind. The Philosophy and Biology of Cognitive Ethology*, Cambridge, MIT Press, 1997, p. 99. 私の翻訳。

5　R. ファーゲンが言っていることと異なるが，私はその結論には大胆なところがあると思う。彼は*Animal Play Behavior*, New York, Oxford University Press, 1981の中で，自分のアイディアを発展させている。

遊びについての統一された進化的見解は自明ではありません。つまり，実際の遊びは，それぞれが異なる原因と結果をもち，異なるメカニズムででき上がっています。文化人類学者であり精神医学者でもあるグレゴリー・ベイトソンは別の角度から見ます。彼はメタ・コミュニケーションの例として遊びを見ています。遊んでいる個体は，たとえ噛もうとしても，それは本当に噛むつもりはないことを遊び相手に「伝える」必要があります。動物は，攻撃的行動とそれと同じような行動系列をもつ遊びの行動とを区別することができなければいけません。世界はこのように本当に複雑なのです。この魅力的な仮説は一理論に過ぎないのですが，それを支持する一つの実証的研究があります[6]。アメリカ東部のコヨーテは，遊びの時には尻尾，脇腹，足，腹部または背中を噛む時間が，実際の攻撃よりも短く，また型にはまったものになります。遊びと攻撃の違いは，文脈上の手がかりによっても相手に知らされます。多くの種でそのような合図は，意図的なメッセージとして相手が理解するように進化してきました。

遊びは，動物行動学が扱うのには困難がある現象です。その証拠に，社会生物学者エドワード・O. ウィルソンは，それは動物行動学者が出会う疑いなく最も困難な問題であると書いています。この偉大な昆虫学者に敬意を表しつつ，私たちは本当に重要で，科学としての動物行動学の限界を超える課題に戻りましょう。遊びの目的は何でしょう？　遊びの一つの側面が，動物行動学者によって無視されています。それとは，遊びがしばしば種間で行われるということです。人と動物は一緒に遊ぶのが好きです。ここが関心の持ちどころです。と言うのは，遊びは人間と動物の間の感情を見事に調整しているからです。遊びは，強くて，かなり複雑な感情の共有への扉を開いています。言い換えれば，遊びは，友情が表出される場であり，友情が表現される特別な瞬間だと言えます。私たちは敵と遊びません。私たちは友人や，少なくとも潜在的に友だちである相手と遊びます。遊びはこの友情の表現です。遊びは後で役に立つかもしれない友だちをつくるための口実ではありません。むしろ，同時に，友情を生み出し，それを維持し，正当なものとするものなのです。

3. ジャコモ・レオパルディは，人間の大多数も動物と同じように退屈しないと考えていました。「多くの場合，人間は何もしないでも退屈しない動物と同じである。それでも私たちは何時間も地面に寝そべって過ごす犬を見て，何度羨ましく思ったことだろう？　犬の平和で穏やかな眼には悩みもなく欲もないことが共に読み取れ

6　H. L. Hill et M. Bekoff, «The Variability of Some Motor Components of Social Play and Agonistic Behaviour in Infant Eastern Coyotes *Canis latrans* var.», *Animal Behaviour*, 25, 907-909, 1977.

るのである」[7]。退屈は人間の一つの特徴であるように見えます。若干の文化，たとえば西洋文化は，驚くべき洗練を加えて退屈を発達させました。人はどこまで退屈できるのでしょうか？　退屈という観念はたぶん種全体にまで拡張できるものなのでしょうか？　この仮説は，見た目ほど奇怪ではありません。

種の絶滅の予測は人間をそれまで耳にすることのなかった問題へと導きます。人間が他の生物と共存する必要性は何を意味しているのでしょうか？　別の本性をもった生き物と？　これは人間の一つの特徴なのでしょうか？　耐え難い孤独の中に閉じ込められる可能性を垣間見た時に，人間がどれだけ大きな恐怖にとらわれているかは想像できます。種の絶滅は，現代に蔓延する功利主義の観点においていつも議論されていますが，続発する生物の消滅が悲劇的な次元にまで達しているという問題も，これまた無視されるべきではありません。それどころか，すべての話し相手が消えるとしたら，人間は誰と会話を交わすのでしょうか？　誰と友だちになるのでしょうか？

この人間の孤独は非常に特別です。私はすでに1995年に話をする類人猿のことでこのことに言及しています。それは私たちの祖先が恐れていた憂鬱という，決して外からは感覚的にうかがい知ることのできない形而上的な孤独から起きる退屈です。「産めよ，増やせよ」と聖書は述べています。しかし人口過剰の世にあってもなお，人間は孤独を見つけ，孤独の中で生きています。犬は別の犬に遭遇したときにもはや単独ではありませんが，一方，人間は孤独な仲間に会った時にさらに孤独になります。犬の孤独には解決策があります。一方，人間の孤独は文字どおり絶望的です。人間は動物によってこの孤独から逃れることができるでしょうか？　少なくともそのような錯覚をもつことはできます。人間はとても孤独なので，知的な動物を必要とするのです。あるいは人工の動物でもかまわないかもしれません。

英国の心理学者ニコラス・ハンフリーは1983年に，西洋社会においてますます重要になっている伴侶動物（ペット）について，研究者が関心を示さないことに疑問をもちました。疑わしい説明がたくさんあります。たとえば，ペットとの関係は他の人間との「正常な」関係の代用であるかもしれません。シュヴァイツァー博士はペットのペリカンに本を捧げています。

私たちが「異なる」生き物に取り囲まれたい本当の理由は謎のままです。あまり知られていませんが，科学史家で環境問題における人間中心主義的な宗教の問題を論じているリン・ホワイト・ジュニアは，1967年の記事に，アッシジのフランチェスコ（カトリックの修道士で動物にも説教したことで知られています）の興味

7　G. Leopardi, *Pensées, op.cit., Zib.*, 4306-4307, 15 mai 1828, p. 123.

深い再解釈を提案し，個人の謙虚さを種の謙虚さという概念に拡張しようと試みました。「フランチェスコを理解する鍵は，個体のためだけでなく種としての人間の謙虚さの美徳の信念である」[8]。私たちは，動物の伴侶があれば一人ではありません。もちろん，動物は話をしません。私たちは動物に分からないような方法で話しているのでしょうか？　いずれにせよ，動物相手に私たちはもはやこれまでのようなやり方で言語を使用できません。それはハンナ・アーレントが強調しているように，「私たちの活動と言語に対する適性はその特質を失ってしまった。社会の出現でそれらが親密で私的な領域に追いやられたからだ」[9]。彼女は正しいのです。しかしながら，他の方法がこの不可能な対話にとって変わりました。動物との関係は一世紀で大きく多様化し深まったのです。

4. あまりにも単純な理由による説明はしばしば間違うことがあります。友人をもちたいという人間の根源にある欲求には，基礎的なところからの説明が必要です。人間の耐え難い孤独[10]，その説明を考えることは一番豊かなことであるように私には思えます。

私たちはこの世界を自分たちの悲惨な存在で満たしていますが，一方で，家庭という空間を犬，猫，鳥，魚，および他の生き物でいっぱいにしています。それは私たちが孤独だと感じているからなのです。理解されず，愛されていないと感じているからではなく，私たちには他の生命を必要としている理由があるからなのです。私たちは，さまざまな存在また生き物に対する，命がけの，腹の底からの，外からうかがい知ることのできない，ほとんど形而上学的ともいえるような欲求を抱いているからなのです。他の生命の存在はある種の内在的予知不可能性によって，さまざまな事物，あらゆる物から厳然と区別されるような仕方で，私たちの周囲で動いているのであり，その観点から，眠っている猫と言えども激しく動き回っているのです。

私たちが愛情深い動物たちで自らの空間を満たそうとするのは，私たちがその本質からして感情的に傷ついた生き物だからであり，私たちの感情的な横溢は種としての孤独に緩和をもたらすためなのです。人間は生きるために生き物の肉を摂取するだけでなく，その活力そのものと愛情からも栄養を貪ろうとする吸血鬼然とし

8　L. White Junior, «Les racines historiques de notre crise écologique», *in* J.-Y. Goffi (éd.), *Le Philosophe et ses animaux. Du statut éthique de l'animal*, Nîmes, Jacqueline Chambon, 1994, p. 306.

9　H. Arendt, *Condition de l'homme moderne*, Paris, Calmann-Lévy, 1983, p. 60.

10　私はこの感情を，「動物に話させよう」という意欲を根本的に動機づけるものとして捉えます。Cf. D. Lestel, *Paroles de singes, op. cit.*

た動物です。モレル（ロマン・ガリーの小説の失われた主人公）は，この惑星の人間が，友情であれば何でもいい，必要なのだという地点にまで追いつめられたと述べるとき，この底知れない孤立を自覚しているのです。孤独を埋めるには，彼はすべての猫，すべての犬，すべての魚，すべての鳥が必要となります。そして昆虫も？　昆虫もそうです。象？　もちろん何よりも象です。

作家のクライヴ・S. ルイスは，これを本格的な神学の問題につくり変えて非常にうまく答えています。ルイスが言うには，原罪によって，人間は宇宙の残余から除外され，罪を償うとしても，宇宙の全体は人口密集で，もう自分の居場所などないと分かるのです。精神分析家のブルーノ・ベッテルハイムはより散文的に，より絶望的に主張します。人間の最大の恐怖は一人で放置されることだと。ハンナ・アーレント自身は，「他者との客観的関係の喪失」[11] の観点から，現代という時代における大衆の孤独を認識しました。彼女は社会学者のデイヴィッド・リースマン（特に1950年に登場した著書『孤独な群衆』）に触発されましたが，この人気のある社会学者にはない基本的で形而上学的な側面を追加します。大衆社会は公共の領域（domaine）を破壊することに満足していません。さらに，私的領域をも粉砕します。人間は社会の中での立ち位置を失うだけでなく，家庭も失います。その結果，生物圏は，惑星規模では私的空間ではあったとしても，公的な家となります。現代の環境哲学は地球は人間の家であり，したがって，それは無限に貴重な財を構成すると確信しています。心と体の健康な人がこの家を荒されるのを受け入れないのと同じように，私たちの誰もが，優先すべき経済的利益の名のもとに地球の荒廃を容認するべきではありません。

私たちはもはや親密さ（intime）というものを，親が子にするのと同じように扱うのではなく，種の境界を越えた対角線の友情の問題として，この文脈で親密さを捕捉しなければなりません。かくして，動物がそこに姿を現し，その後すぐに機械が現れます。私はさらに先に進みます。私たちはもはや今までと同じ方法で会話することはできません。これは大島渚の映画『マックス，モン・アムール』の主なテーマであり，身近な動物（そして今回のケースでは非常に身近なそれ）が家族の会話にどれだけ変更を加えることかを示しています。冒頭で，その映画は衝撃的な動物愛好者の物語を語ります。英国の外交官がパリに配属されます。彼は，シャーロット・ランプリング演ずる悩ましい妻が浮気をしているのではないかという疑問を抱くのです。私立探偵を雇いますが，探偵は，依頼者の恐れていたことが現実に起こっていると伝えます。

11　H. Arendt, *Condition de l'homme moderne, op.cit.*, p. 70.

妻には男がいます。彼女はその不倫を隠すために，パリ郊外にアパートを借ります。外交官がその部屋に行きます。すると妻が密かに会っているのがチンパンジーであることを知り，愕然とします。この事態の打開策として，彼は妻を説得し，息子やメイドも住んでいる家族の家の中にチンパンジーの恋人を迎え入れることで収めます。この新たに参入した霊長類を受け入れるために，アパートの奥に頑丈なケージが設置されます。家族となる実験よりも安全が優先されるわけです。奇妙な共生が始まり，一連の騒ぎで心乱れた若いメイドには本当にニキビができてしまっています。これが最初のステージの物語の概要です。

第二のステージでは，映画は別の，より興味深いストーリーを伝えますが，その本当の主題は，私たちがすでに理解していると信じているにもかかわらず，そこには辿り着けないと分かっていることによってもたらされる，もどかしいフラストレーションの主題です。外交官はそれを知りたいのです。彼の主な感情は嫉妬（チンパンジーに嫉妬するなどということがありえましょうか？）ではなく，好奇心なのです。間断のない好奇心が彼の人生を破壊します。彼は妻とチンパンジーの間で何が起こっているのか知りたいのです。そして，状況がはっきりしているとは言い難く，何であれ，何が起きているかどうかさえはっきりしていません。しかし，妻と動物の間に奇妙な共謀関係が生じますが，すぐにそれを愛人関係と見なすのが妥当なのでしょうか？　私たちは，今の文化で慣れ親しんでいる古典的な枠組みから抜け出ている，この感情の面でもコミュニケーションの面でも型破りな状況を理解するための言葉も観念も，そして概念も欠いています。

この大島の映画では，女性にはある秘密があって，それが動物の主観的世界（subjectivité）に触れることを難しくさせています。その結果として生じる状況は，男性にとってはまったく受容不可能になります。妻はそのことを意識しているのでしょうか？　その点で，妻は意図的に動物を使って夫の感情を操作しているのでしょうか？　いずれにしても，動物の存在は家族の議論の性質を変えます。類人猿は当然の如く注目の的となり，それ以外のものはすべて二の次になります。会話は，新しく到着したこの霊長類をもっぱら中心に営まれ始めます。最初からすべての混乱を排除するための特定の措置をとることなく，動物を家族に招き入れることは，決して無事では済みません。私たちはどこまでを家族としてやっていけるのでしょうか？　私たちはどの領域までを家族としますか？　家族構造自体が崩壊することなく，どの時点まで非人間を親密の領域に入れることができるのでしょうか？　コンパニオン・オウムの場合は，このプロセスに関する興味深い見通しを与えます。

5. 今日，西洋諸国には非常に多くのオウムがいます。オウムはアレクサンドロス大王の荷物とともに西洋に到着しました。紀元前327年，ペルシャ帝国の征服の前に，このマケドニアの皇帝はインドの不思議な鳥の標本を持ち帰りました。これが正真正銘のオオホンセイインコ（英名 Alexandrine parrots；学名 *Psittacula eupatria*）です。ここに，今でも広がり続ける衝撃的な愛の関係が始まります。文学の中ではこの関係は何度も繰り返されます。作品（*Un corps simple*：『純粋な心』）の中で，ギュスターヴ・フローベールは，若い使用人であるフェリシテの，人間とではなくオウムと一緒にいることによってつながる最も強い感情について述べています[12]。そのオウムが死ぬと，フェリシテはとても悲しみ，彼女の主人は鳥を剥製にさせます。このようなオウムとのつながりは，たとえば，ジョアンナ・バーガーが『私を所有しているオウム』[13]で示しているように架空の話ばかりではありません。バーガーは，よく知られている鳥類学者で，野外生物学者です。ある本の中で彼女は，大学での研究者という衣を脱ぎ捨てて，ティトという名前のオウムとの個人的な関係の物語を綴っています[14]。話が進むにつれて，バーガーの生活とオウムの生活はますます接近してきます。家の中のティトの描写は，自然環境で鳥を観察するバーガー自身の経験の説明と交互に語られます。彼女は，21世紀になって高まっている環境圧の影響に鳥が対応する方法と，鳥が人間に近づく方法を関連づけています。彼女が鳥の空間に入ると，鳥は人間の空間に入ります。人間と動物の空間の織り交ぜられたトポロジーは，感情と生き方の複雑な幾何学に通じます。根底にあるあいまいさが，作品の迷路をときほぐす赤い糸として機能します。バーガーは自分自身について書いているのでしょうか，それともオウムについて書いているのでしょうか？　二つの記録を区別することは本当に可能でしょうか？　バーガーは，オウムとの関係に少なくとも多少問題があると述べています。つまりティトを訓練するのは彼女なのか，それとも逆なのか？という点で。ブルース・トーマス・ベーラーがいみじくも言っているように，ここで問題になっているのは「所有物」という概念そのものです[15]。人は本当にオウムの所有者になれるのでしょうか？

「性格障害者で，要求が多く，自己中心的」，これらは，ベーラーがオウムを特徴づける言葉です。オウムは人間にすばらしい仲間付き合いを提供してくれますが，

12　フローベルに対する批判の中で最も面白いのは J. Barnes' novel *Flaubert's Parrot*, London, Picador, 1984である。

13　J. Burger, *The Parrot who Owns Me. The Story of a Relationship*, New York, Random House, 2001.

14　ティトはキホオボウシインコ（Red-lored Amazon）である。

15　B. T. Boehrer, *Parrot Culture. Our 2,500 Year Long Fascination with the World's Most Talkative Bird*, Philadelphia, University of Pennsylvania Press, 2004.

たくさんの見返りを要求します。まるで知的な人間のようだと，このアメリカ人の教授は付け加えます。オウムは野生動物のままです。決して飼育動物ではありません。これはオウムと一緒に暮らすことの難しさのいくつかを説明してくれます。オウムが人間の仲間と一緒にいるのは，そう決めたからです。オウムが意見を変えようものなら，最も残忍な強制を行使すれば別ですが，何人であってもかれを引き留めることはできません。関係の質は，動物が引き受けた選択に基づいています。すべての場合において，それは相互の合意です。所有者と被所有者の概念は，ここではもはや当てはまりません。

オウムが受け入れるのは唯一の状況です。すなわち，平等に扱われているという状況です。ベーラーが書いているように，私たちが配偶者，両親，または同僚との関係ででくわす困難のすべてが，何らかの形でオウムとの関係でも見つけられます。オウムとプラトニックで家庭的な関係をもつことはできるのでしょうか？　特定の種の個体は，その要求を人間の忍耐の限界にまで押し付けるものです。たとえばバタン（*Cacatua* sp.）がそうです。このオウムは非常に愛情が強く，非常に忠実です。ですがまた，最大限の感情的要求をもっているオウムでもあります。椀に一杯の水とバナナを与え，そのままにしておくことで満足を得ることなど，まったく想像できません。かれらには常に愛情をかけることが必須となります。頭を掻いてやったり，嘴を撫でてやったり，遊んでやったり，また赤ちゃん言葉で話してやったりするなどなどの必要があります。かれらは無視されることに耐えられません。かれらは衝撃的な憤怒と言うにふさわしい極限に達します。愛情と注目を剥奪され，罰せられて，衝くように叫び，噛みつくに至ります。さらに，オオバタン（*Cacatua moluccensis*）は見事と言っていいほどの狂気に至ります。この狂気の典型的な表現は驚くべき行動をとって現れます。胸から，時には尾から，または翼から頻繁に羽を１本ずつ摘み取り，嘴が届く可能な範囲の羽がすべて抜かれるまで周到に羽抜きを持続します。いったん抜去されると，それらは元に戻りません。オウムの怒りは，不可逆的な痕跡を残すに至ります。ベーラーは「強迫性障害，オウムの拒食症の一種」としています。ただこの狂気は，これらの鳥が示す希に見る知性の証明です。いわゆる少し下等な動物はそれほど神経質になりません。自らの存在意義について自らに問いかけている実存的危機の真っただ中にいるプードルに，かつて誰が出会ったでしょうか？

このような感情の爆発は，オウムを人間にします。最も華麗であると言われている灰色のアフリカのオウム（ヨウム）も，悪名高い羽抜き屋です。拒食症との比較は見当違いではありません。ベーラーは，羽を抜くことは精神的なトラウマの一種を意味し，個人の外見という概念に根本的な改変を加えることにつながると考えています。拒食症とも言える羽抜き行為は，身体に対する過激な行為であって，羽を身体に対する叱責と見なしています。極端な場合，羽を抜いてしまった鳥は，羽の存在しない翼を滑らかに撫で続け，ヌードとなった体の不完全さをなきものにしようとします。そこから，重度の自傷行為，特に胸を嚙む行為が生じることがあります。これらのケースは，私たちがそんなことはないだろうと思うほどの数少ないケースではないのです。数年前から大きな身体的苦痛にあえぐオウムを救ってきたアメリカ人のブラッドフォード夫妻は，このタイプの約 360 羽のオウムと暮らしています。ベーラーが書いているように，「本書の執筆中に，飼い主を失ったオウムに何が起こるかを見る機会が何度もありました」。ベーラーは，人間同士で築くよりももっと強い感情的なつながりを人間と築くオウムにとって，これは非常に悲しい状況の問題であることに同意します[16]。自然界では，これらの鳥は一生涯にわたって同僚と共に生き，飼育下では，ここで言う忠実性は人間の主人にこそ求められるものなのです。

6. 先ほど述べたオウムなど，特定の人間と特定の動物との関係は非常に強固なので，人間の双子としての資質を動物がどの程度備えているのかと思うほどなのです。家族の構造は，あちこちに痛みを伴う穴が穿たれており，その穴はできるだけ埋めるべきなのだと考えられるかもしれません。人間の孤独が家族の起源ではないのでしょうか？　動物は失われた兄弟の代わりにならないのでしょうか？　すべての誕生は双子の出生だ，とペーター・スローターダイクは書いています[17]（スローターダイクは胎盤＝胎児関係をもって双子と言っています）。この双生児の一方が私たちの文化で取り返しのつかないほど失われた場合，もしその出生の損失（生まれたばかりの双子の一方の取り返しのつかない，忘れることのできない喪失）を埋め合わせられなければ，動物が徐々にその場所を占有することになるのではないかと考えることができます。もちろん，厳密な意味ではありませんが，空のスペースを動物が占めるのです。適切な言葉が見当たらないので，欠如の霊性とでも言っておきましょう。私たちの精神的な孤独は時には耐えがたく，支えきれなくなりますが，その時，私たちはあいまいな形ではあっても動物で自分の空白を埋めます。子どもとは異なり，動物は霊性をもつ存在に必ず備わっているこの基本的な無邪気さを保持しています。動物はもはや子どもの代用品とは見なされないにしても，子どもか

16　アレックスは間違いなく世界中で最もよく知られたヨウムである。イレーヌ・ペッパーバーグによって教育を授けられた「大学」オウムはマーガレット・アトウッドの本のヒーローだった。*Oryx and Crake*, New York, Doubleday, 2003.

17　P. Sloterdijk, *Spheres*, t. 1, *Bulles*, Paris, Fayard, 2002, p. 451 *sq.*

らは得ることができないものの代用品と見なされます。しかし，子どもをもつ家は，ペット動物をもつ可能性が最も高い家であることも覚えておくことが重要です。

逆説的ではありますが，21 世紀の人間の形而上的な孤独は，人間のアイデンティティ，特に人類という種における自己のアイデンティティを再考することなくして和らげることができません。啓蒙思想の個人主義はここで限界にぶつかります。自らの有限性と，その自覚から帰結する不合理とを受け入れることができない，あるいは少なくとも受け入れにはひどい困難を伴うという，人間が落ち込んでいる限界です。その限界について評価する場合に，たとえばサルトルのように，最終的には現実世界＝状況を保証することになるのでしょうか？　必ずしもそうではありません。別の見方は，人間の自律性を再考する必要があると主張します。これはより豊かな環境に根を下ろしており，その環境の組成は主体性の真の冒険（aventures de la subjectivité）のために背景となりうるものです。これをスローターダイクが「球体」（つまり，胎盤と胎児からなる子宮で，ある種の理想郷，彼は大きな球体または大きな子宮である国家まで概念を拡張しようとします）の概念の中核に据えようとするのは疑いないでしょう。この球体という試みは魅惑的ですが，このドイツの哲学者は，球体の範囲を拡張しようと繰り返し試みながらも，結局は人間に限定しています。ただ，胎盤双生児を無視したが故に私たちがどれだけのものを失ったかを悟らせてくれるのです。あるいはある種のノスタルジーをこめて，世界についての宗教的ヴィジョンを描き，そのヴィジョンの中では人間は決して一人ではない，なぜなら人間は常に神と共にあり，その神はわれわれ自身がそうである以上に，われわれの近くにいるというのです。したがって，21 世紀の夜明けに生じた問題は，やや不安な質問の形に変えて表現することができます。取り返しのつかないほど失われているものの，私たちが今なお強いノスタルジーを抱いているこれらの胎盤双生児に置き換えるものとして，動物と人工物の表象を思い描くことができるのでしょうか？

7. 私たちは，人間の自律性（autonomie）というものが，他の人々が複雑に関わるより広い組織の織り目の中でのみ，意味と有効性をもっているということを認める準備ができているでしょうか？　さらに人間にとどまらず，この自律性には，ある種の人工性と動物性が関わってもいるのです。しかもそれらは，人間の欲望と状況に応じて好きなように調整可能な自我の拡張などではなく，私たちが系統発生の歴史や，文化的，個人的な歴史を通じて，私たち本来のあり方を構成しているものであるのです。ただ，この系統発生なるものは，現在扱えるデータを考えれば，まだまだ幻想に類する部分を残していることは否めませんが。

たぶんこの私は私自身であるというよりも，私と人工物と動物とのさまざまな組み合わせの主体であり，結果であると言えるかもしれません。そうした組み合わせにあらかじめある種の人格が付与されている可能性もあります。すべての相互作用に先立って，最初から前もって個性化（individuation）は行われません。個性化は相互作用の過程で生成され，その結果としてもたらされるものです。それは必ずしも心理的なものではなく，それに付随するはずの精神状態（その意味はどうであれ）によって表わされるわけでは必ずしもありません。オブジェには単一性という様態がありえます。たとえばモナリザやロダンの考える人など。特定の芸術作品がそうです。レオナルド・ダ・ヴィンチの絵画やフランスの彫刻家の作品に，精神状態などを求める人はいません。この観点からすると，動物に精神状態があるからといって，必ずしもそれが個性化の原因であるとは限りません。本質は実存に先行するものでも，実存に続くものでもありません。存在は，その結果が私たちを深く変える行動によって確立されます。これはもちろん，ウンベルト・マトゥラーナ，フランシスコ・ヴァレラ，ハインツ・フォン・フェルスターなどのオートポイエーシス（自己生産：自己が自己の構成要素を生産すること）の理論家が言い続けていることですが，私がここで提案する動物の人格化は，きわめて理論的な前述の著者たちよりも実存的であり，意図的に存在論的なものです。

私は自分の個性のさまざまな側面に多くのさまざまな種の動物を貼り付けることができ，それらはモザイクとなっています。生物学的に（ある微生物のように）またはより心理的および文化的にそれらを同化することによって，「脱人格化（apersonnalisation）」のプロセスにおいて，動物たちにある種の適合性を与える用意ができていなければなりません。つまり，それは私がユニークな存在であり，またそのことを意識している個人となる過程においてなのです。

アメリカの哲学者ポール・シェパードは間違いなく，人間と対立するどころか，動物こそが実は人間と本質的に同質な次元を構成するという考えをさらに推し進めた思想家です[18]。したがって，特定の人間と特定の動物の間の対角線上にある間接的な友情は偶然ではありません。それどころか友情は，正に人間を構成しているものの中に最も深い起源をもつ状況の枠組みの中で確立されます。動物性の中に世界の秘密を読み解くのではなく，それをバネにして私たちの複雑な感情に迫ろうとすることなのです。

動物の発するメッセージはなくとも，動物の奇妙な行動や予期しない行動に出

18　シェパードの思想の最初のアプローチは，Paul Shepard (ed.), *The Paul Shepard Reader. The Only World We've Got*, San Francisco, Sierra Club Books, 1996. に。私たちはシェパードの主要著作の最も重要な箇所のいくつかをここで見つけることができる。

会うと，生物空間の中で人間をよりよく理解するための知的ツールが開発されます。私たちの精神とはその生物空間の驚くべき延長なのです。私たちを取り巻く自然のための手引書はありませんが，宇宙は私たちをより深く考えさせるための複雑さを準備して明示しています[19]。とりわけ動物は特権的な空間を構成し，その特性は私たちの思考の行使のみならず，非常に深い感情の訓練を可能にしてくれるのです。このように，動物は，私たちが何者であり，誰のものであるかについての念の入った表現を育くむためのすばらしい刺激となるのです。動物のイメージと形態は，人間のアイデンティティ，人格，社会意識を形成します。この点に関して，シェパードの二つの表現は深く啓示的です。最初に「動物は心（esprit）の目を持った最初の住人（habitant）の仲間である」と，そして，知性は人間と動物を覆う「社会的な皮膜」に包まれていると書いています。

すべての生物は，その解剖学，生理学，あるいは行動如何にかかわらず，常に人間の知性に対する挑戦です。動物は，そのありようによって，それぞれ私たちの認知を刺激する装置となります。アメリカの作家が美しく描いたように，「鳥は思想（idée）そのものになった」のです。シェパードの基本的な考え方は，動物を奪われた世界では，人間は決して考えることができなかったろうということです。なぜなら，そうなった場合，考えるために必要な複雑な分類をするのに不可欠な機会を決して持ちえなかっただろうからです。「それ（ça）」が周囲で考えたから故に，人間は考え始めたのです。思考を起こさせるのは深い多様性であり，この多様性は人間を取り巻く生物の中にしか見出されません。さらに付け加えるべきでしょう，人間は普通に人間を愛するのと同じように動物を愛することができます。なぜならば，ある種の動物とは感情的なつながりがあるからです。ベルギーの哲学者リュス・イリガライが非常に美しい文章で述べているように，「私の子ども時代の切れ目のない動物との交流，そして私の最大の喜びは動物に結びついていた」[20]のです。個体発生は確かに系統発生を再現はしませんが，人類の自然史の基本的な出来事のいくつかは，私たちの個人的な歴史の中に鳴り響き《レゾネ》（résonnent），私たちの心の中で推論を重ね《レゾネ》（raisonnent）ています。

シェパードは，生きている動物の種の数と，開かれた思考が展開される可能性

19　これは私たちがいずれ論じなければならない問題である。人は自分が住んでいる宇宙以上に複雑なことを知り得るだろうか？　この問題に取り組んだ最初の人間はどうやらパスカルのようであり，私たちは知れば知るほど，知るべきことがあるということが分かる，と書いている。「無知の知」とでも呼べる素晴らしい表現の一つである。私たちの知識は，私たちが何一つ知らないということを知らしめてくれる。

20　L. Irigaray, «Animal Compassion», *in* P. Atterton et M. Calarco (éd.), *Animal Philosophy. Ethics and Identity*, London, Continuum, 2004, p. 195-201.

に強い関係があることを示唆しています。動物を見分けたり分類することは，動物の静的イメージをつくることではなく，人間と動物の間の移行地点を見つけ，またその難しさについて考えるように促すのです。子どもたちが周囲の動物を通して複雑な考えを構築し続けていることは真実です。なぜ子どもたちの物語にたくさんの動物が登場するのでしょうか？　なぜ夢の中の動物がこんなに多いのでしょうか？一部の夢想家が他の人よりも多く動物を思い出すことはあるにせよ，すべての子どもたちが動物の物語を聞いたことは間違いありません。前思春期の子どもにとって，純粋な博物学などはただ単に存在しません。動物は，複数のレベルで「読む」ことができるため，私たちの概念の深さは徐々に複雑になります。ブルーノ・ベッテルハイムは，「それ（ça）」の問題は，おとぎ話の動物に代表されてよく見られると信じていました。シェパードがとりわけ動物の知的濫用と呼ぶものの中には，20世紀に蔓延した「生物のウォルト・ディズニー化」も含まれますが，これらがきわめて有害なのは，そこでは生物の生命エネルギーというものが，怪しげな道徳とやらの必要とかでねじ曲げられているのです。神話と伝説は，社会的結束や現状維持のための戦略であるよりも，成熟した思想を生み出すとても優秀な実験室なのです。

ジョルジュ・バタイユを悩ませている旧石器時代の洞窟の動物絵画も，シェパードにとっては，思春期の成熟への移行を助ける伝統的オブジェの機能をもっています。動物は，人類の起源から，人間が自身の体に必要なタンパク質を摂ることを可能にする獲物として機能し，世界をどのように考え，自分をどのように表象するかを教えるインストラクターとして働くのです。また，愛することの助けになる友人もあります。シェパードは，私たちの心をつかむ簡潔なフレーズで，「あなたは自分が食べるものを考える」と書いています。獲物と捕食者の間のダイナミックスは，このアメリカの哲学者が「脳の偉大な彫刻家」と呼ぶものを形成しているのです。ずっと後になって，たとえばドゴン族の行う洗練された種の分類のお陰で，壮大な叙事詩の中にも動物たちは登場することになります。

ポール・シェパードは皮肉を込めて言います。今日でも，動物の絵は心理検査，たとえばロールシャッハのテストのように，よく用いられていますが，数多く用いられる割には一切説明はないままです。シェパードによると，これらのテストで選ばれる野生動物は，作家が自分自身を表現するために比喩を選ぶのと同じように，子どもの代替物としての役割を果たします。動物は子どもの比喩なのです。したがって，人間は動物から離れて人間になったのではなく，動物と同盟を結び，その最も顕著な可能性のいくつかを実現したのです。「自然の歴史とは，私たちが考えていることの歴史，冒険心がもたらす結論，冒険心がもたらす疑問の歴史である。私たちは動物免許を受け取ってはいないものの，私たちが誇りに思う能力において，それを介して受け取ったと言えるだろう」。シェパードは，授粉する昆虫と花との同盟が，知性の歴史において最も決定的な出来事であり，色彩を広め，何億年もの間地球を覆う有機的な被膜の形成に貢献したと考えています。人間は動物の主人ではなく，逆にその弟子です。

シャーマンは言います，「動物の声を聞きなさい，あなたは自分が誰であるかが分かるでしょう。動物を観察しなさい。世界が何であるかを理解できるから」。動物は解読を要するメッセージの担い手ではありません。メッセージそのものなのです。この線に沿って，シェパードよりもさらに先に進むことができます。人間と動物の違いが一方にあり，もう一方で蜂と花を結びつける違いがある，その両方は密接に共鳴している。昆虫と植物の関係は，機能的で審美的なままです。人間と動物の関係は，感情という点から言えば，都会暮らしの理論家が信じているより以上に，私たちの人格の最も深いレベルにあります。

世界に対する機械論的および実証主義的なものの見方は，この観点からすれば恐るべき退行をもたらしています。つまり，動物たちとは正しく何物かということに対して，すなわちあまりにも明確に引かれたカテゴリーや境界線を越えて，常にとらえどころのない存在たちというものに対して，目や耳を向けなくなっているのです。狼男の話はすべての男性が狼に変身できることを私たちに説明していませんし，狐女の物語はすべての女性の背後に狡猾な狐が隠れていると言っているわけでもありません。これらの異種混成のありようは，「それ（ça）」がカテゴリー間で循環していること，証拠がしばしば誤解を招くこと，および見かけのカテゴリーが基本的に局所的な近似値のままであることを思い出させてくれます。私たちは共通の祖先をもっているため狼に近いだけでなく，確かに常に部分的ではありますが，信じられないほどの深いところで常に感情とアイデンティティを狼と共有する準備があるからなのです。したがって，私たちは動物の絶滅が生態学的な大惨事であるばかりではく，同じく精神的で知的な災害でもあると嘆くポール・シェパードを理解できるのです。私たちは人間であり続けて以来，動物と非常に多くの情熱を共にして生きてきました。今日，動物は私たちにとって切っても切れない感情的なパートナーであり，正真正銘の友人であるということは，驚くには当たりません。動物との距離は落胆と孤独を引き起こし，動物がいてくれれば喜びと快活が生まれるのです。

人間と動物の間の感情的な関係は非常に複雑であり，誤った過激なやり方で単純化するのは残念なことです。狂気と人間と動物との関係は，人間と動物の関わりについての多くの思索のまさしく中心にあるのです。この動物との近接性の最も有名な例は，パシファエの神話に登場します。ミノスの王の妻は，ダイダロスに空洞の雌牛を作らせます。彼女はその雌牛の中に入り，お目当ての雄牛によって懐胎することとなります。この状況は人間と動物の友情の問題を大幅に超えています。過度の情熱になり代わってしまっています。この動物との結合技術から生まれたミノタウロスは，クレタ島の恐怖になります[21]。獣姦は，上で見てきたような友情関係の対角線上に位置する情熱の一部でしょうか？　いいえ。これらの行動は，だましの罠，場末の本番ショー，または性的なアイディア商品としての動物の道具化のカテゴリーに入るものなのです。しかし，それが理由でこうしたことがいつも禁止されているわけではありません。

民族学者は，人間社会における近親相姦の禁止について多くを語っています。ただ，彼らは，動物との性的関係の広範に及ぶ禁止についてはあまり取り上げません。でも，実際にそれを許した社会が一つでもあるでしょうか？　旧約聖書，タルムード（モーゼの律法），ヒッタイトの法律でも禁止しています。キリスト教は動物との性関係を重大な犯罪だと見なしました。中世ヨーロッパでは，ヒトと動物は獣姦の罪で四つ裂きの刑や火刑に付されました。17 世紀になっても 1679 年に，女性と犬が法律に違反したためロンドンの近くで首吊りにされました。狭義の生物学の感覚からはほど遠いのですが，この事件で示された恐怖はいつも同じものです。この限界を超えた時，ヒトと動物という境界は破綻します。ヒトと動物を分離する本質的な境界線はぼやけます。こうした状況では人間の感情は明確ではなく，文化人類学者ジャン－ピエール＝ディガールは，厳密な功利主義的観点から見れば，この過剰なまでの家畜化による非生産的な行いは人間のサディズムの現れだと示唆しています。「猫オルガン」はこのサディズムの頂点です。中世には，数十匹の猫は穴が開いた箱に入れられていました。尾だけが穴から突き出ていました。「オルガン奏者」が，尾を引っ張ったり，針先で突き刺したりすると，猫は苦痛と恐怖から鋭いミャオミャオという鳴き声を発します。閉じ込められた猫たちは生きた心地がしません。これだけが歴史に残っている唯一のサディスティックな工夫ではありません。猫はまた袋や樽に閉じ込められ，火の上に置かれました。拷問者は袋や樽が開くのを待っていました。猫は白熱した炉に落ち，生きた松明となり叫びながら逃げます。善良な人たちは歓声を上げて手を叩きます。分かっているところでは，15～17 世紀は猫にとってひどい時代でした。文字どおり地獄のような想像力の犠牲となって拷問され苦しめられ，高い塔から投げられたり，生き埋めにされたり，首吊りにされました。動物と間の対角線上の情熱は，友情の形式に限定されるわけではないことは確かですが，それでもなお友情が最もはっきりした表現です。友情とい

21　オウィディウスの著作，*Métamorphoses*, VIII, 136–168.

う形式はすべて，動物との実際のあるいは想像上の感情移入や，動物との密接な関係を築きたいという願望に基づいています。その願望はきわめて強く，本当に波乱含みになることもあるほどです。

8. 動物の識別というのは，必ずしも人間に関わることではありません。カナダの博物学者ジョン・リヴィングストンは，野生動物においては個体としての自我，グループとしての自我，およびコミュニティとしての自我は，相互に排他的でも，連続的でも，階層的でもないと説明し，その考え方に従うと，コヨーテは時にオオカミであり，クーガーであり，またはクマでもありえるということになります。リヴィングストンは，種間の共感というものがあり，人間に限定されることはなく，私たちはまだ探求を始めていないと示唆しました。

　動物との一体化とは必ずしも神経症の兆候であるとは限りません。人間には，いろいろに応用できる優れた模倣能力があります。動物になる遊びはどこにでも見られる文化です。すべての子どもは凶暴な肉食獣になったり，怯えた獲物になったことがあります。この特別な喜びは万人が認めるところです。それをサディスティックな喜びとして片づけてしまうと，本質を見逃すことになります。子どもが理解しているのはもっと深い何かです。子どもの直観は，動物と同盟を結び，動物と一体になるように促します。動物をパートナーとして，エコシステムとして見なすのです。つまり共に行動するのです。

　動物性は人間の限界状態とは考えられません。拷問を受けた人間は決して動物に「戻る」ことはありません。本当の問題は，私たちがなりたいのはどういう人間なのか，そしてその目的のために動物とのどういうつながりが必要なのかを知ることです。私たちが動物とこうした特権的な関係を結ぶのは，動物になりたいからではなく，自分たちも動物と同じように野生の力だったことがあり，そのことの少なからぬ「記憶」が自分たちを動物に近づけているという，漠然とした確信があるからなのです。子どもは，人間以外の存在とゲームを設定するとき，人類の過去を旅していることになります。動物に変身するのに旅の時間の大部分を費やしています。それぞれの動物は特定の模倣対象であり，独自の特性をもっています。動物の身振りや態度を再現するときに，子どもはいわばよその国の生態圏にいます。その模倣は単独で演じることはめったになく，仲間に囲まれています。自発的に，子どもは獲物と捕食者の振る舞いをこなしてみせ，行動療法のロール・プレイングのように，代わる代わる演じ分けるのです。両親にとっては，子どもは動物遊びをしています。子どもにとっては違います。ライオンであることを演じるのではなく，子どもはライオンなのです。この意味で，子どもがしていることは自分が常に感じていることを，遊びという方法で生きるという以外の何物でもありません。つまり，子どもは自分とは非常に異なる生き物に変身するので，子どもにとって，どちらが厄介なのか。ライオンへの変身なのでしょうか，それとも大人になることでしょうか？

子どもだけがこの動物との同一感・一体感を占有しているわけではありません。コンラッド・ローレンツは，グレゴリー・ベイトソンによって「オーリニャック人」と呼ばれています。これは，学会講演中にこのオーストリアの動物学者であるローレンツが，動物を説明するにあたって行動によってその動物を同定する能力があったためです。「彼は動物と一体化する。オーリニャック人は洞窟の絵を描いた人々で，すばらしい絵だ。ローレンツは絵の方に移動する。そこには犬がいて，攻撃か退却かで逡巡している。彼は黒板消しを取り，尻尾を拭き取り，角度を10°変えて首の毛を平らにし，『走ろうとしている犬です』と言う。彼は今度は別の形に描き直し，『犬は攻撃しようとしている』と言う。そう話す彼は，同時に犬でもある。そして，これは魚のシクリッドのときにも再現される。ミツバチや他の動物のときも一緒。そして，ハワイで行った最後の講演では，彼は例の科学者特有の身振りで物理学とアインシュタインの宇宙のすべてを混ぜ合わせ，直線がもはや直線ではないアインシュタインの宇宙について話し始めるのである」[22]。

9. 1979年，まだ世に知られている精神科医ではなかったとき，トビ・ナタンは，ロジェ・カイヨワの忘れかけられたエッセイに触発され，小さな驚くべき本を出版しました。『精神分析と昆虫の交尾』がそれです。無脊椎動物の性生活に魅了され（トビ・ナタンは平凡な精神分析家ではありません），そこに人間の性的幻想の起源を読み解きます。「人間の（性的）ファンタジーは，人間が用いることはない生物学的な解決に対応する」。この考えは，ジョルジュ・ドゥヴルーにあっては未開拓のままでした。ドゥヴルーは精神分析が人以外の動物の世界で繰り広げられる苦痛をはらんだ性を研究すれば成果が期待できそうだと指摘するのに留まり，その先にさらに追究することはなかったのです。幻想は私たちの手に入れることのない生物学的可能性に対応しています。最も重要なことは，人間から最も遠い系統樹で見つかります。前戯，交尾行為自体の様式，および交尾の結果を含む動物の性行動全体に関するものです。

ナタンは，南海のサンゴ礁の鮮やかな色の魚（*Sarranellus subligarius*）が用いるのと近似した方法で，精神分析医が自分と患者の間で役割を分担していることを示します。生殖の過程で，オスは次第に素晴らしく明るい色を失い，元々メスは単

22　«For God's Sake, Margaret: Conversation with Gregory Bateson and Margaret Mead», *CoEvolutionary Quarterly*, 10 juin 1976, p. 32-44.

調な色調でしたが，明るい色を獲得します。状況は事実上逆転します。オスとメスがそれぞれの役割を変えて，新しい受精が行われます。オスとメスに再び元の役割が戻ります。ナタンは次のように結論づけています。「この魚サラネルス・スブリガリウスのように，精神分析医も幻想のつくり手と受け手として交互に機能する」。去勢コンプレックスは，ハチの通常の交尾モードで最も広範に観察されています。メスは交尾後に突然オスを激しく拒絶し，あげくの果てにはオスは，消化器を引きちぎられ，致命傷を負います。

精神科医ジョージ・グロデック（1923）によって最初に記述されたオスの妊娠の幻想は，クモ，サソリ，カブトガニなどの鋏角類や，ウミグモ類の特定の種の間で各々見られます。卵を育てる器官を備えたオスは，メスの卵を集め自身の体内で受精させます。ある神経症の若者のケースでは，彼の背中を覆ったニキビをつぶす癖があり，夢の中で，自責の念の重みで背中が曲がるほど，母親から赤ん坊を背負わされているのです。この若者の症例に注目したトビ・ナタンは，オスがメスの卵を背中に乗せているタガメ（コオイムシ科）にこれを比較しました。出会った人たちの死を引き起こさずにはいられないパートナーの幻想と言えば，ナタンは蚊の一種（吸血性のヌカカ）を引き合いに出します。ヌカカは，交尾中にメスがパートナーの頭に溶解液を注入し，不幸なオスの内臓器官をスープに変え，殺害者に吸い取られ，空になった犠牲者の干からびた殻が捨て去られる直前にメスが受精するのです。精神分析医が説明しているように，ここで説明に使った言葉は患者が用いているそのままの単語です。自分のアイデンティティを失うか，またはむさぼり食いつくされないように偽のアイデンティティを身につけようとする精神病を引き起こしている患者の例を，ナタンは想い出します。あるクモ（*Araneus pallidus*）の例ですが，そのメスはオスの4倍の大きさがあり，長ったらしい交尾の後にオスをむさぼり食うのです。トビ・ナタンにとって，これらの症状の精神分析は特に困難です。なぜなら，患者であるオスグモは精神分析医であるメスグモを麻痺させる防御戦略を導入する傾向があるからです。ある種のオスのクモ（*Araneus diadmatus*）またオスのラクダグモ（ヒヨケムシ目）のように，交尾の終わりにむさぼり食われないようにメスを麻痺させるのです。第一段階でオスは自分の口でメスの鋏角をつまんだ状態を保ち，第二段階では繰り返しさすることで，メスにまったくの無気力を引き起こします。オスが採用する第三の戦略は，メスを和ませるために提供される贈り物戦略です。オスのクモ（ヨーロッパキシダグモ）は，この分野では非常に長けています。贈り物としての効果を発揮すべく捕らえられた昆虫は，メスに提供される前に繭のように絹で包まれます。メスは，与えられたパッケージをほどくのに時間がかかり過ぎて，贈り主の存在を忘れます。したがって，オスは危険なくメスに受精させることができます。トビ・ナタンは，喜ばしい博識と心地よい皮肉とを組み合わせて，治療の効果として分析医が当然受け取りを主張すべき代金と，精神分析医の実践とを比較します。オスの第四の戦略は，すべての直接的な身体接触を注意深く避け，精子を有効にするものです。メスの前で踊った後（そして各種には独自のダンスの儀式があります），オスは精子を入れた小さなカプセルを作ってメスに贈り，メスの交尾口に挿入します。したがって，オスはメスにとってオスではなくオス然とした物体なのです。ナタンによると，これは精神分析医ウィニコットが言う過渡的対象物に相当します。さらに，精神分析医は，この現象がもたらされる関心を説明して，「このように，精胞は，人間の精神分析における転移対象のように，離れた関係と身体接触の関係を媒介する交尾のテクニックであり，体の内側と外側の中間なのである」と述べています。最後に，ボネリムシ（海洋無脊椎動物）などの第五の戦略があります。微小なオスは，メスの生殖管に寄生し，そこで分泌物を食べて生きます。このメスはピクルス程の大きさで海底に生息していますが，長さ1メートルに及ぶ植物の茎に似た吻管を持っています。この吻管は非常に小さく，そこに漂流性のボネリムシの幼体がくっつき，数日後に数ミリメートルのオスに変身します。オスはメスの腸内を移動し，最終的に卵に受精させるために卵管に入ります。これらのオスの数は，この行動と同じくらい驚異的なものです。1匹のメスの中で85個体ものオスがいます。このとから，トビ・ナタンは，ウィニコットが記述する状況の中で，精神分析医が正真正銘の容器（つまりメス）として生かされている話を思い出しています。

メスのサソリは，辛抱強くオスをバラバラにし，数日の間，徐々に食べます。ナタンにとって，それは「良き子どもたち」の精神病の完全な描写なのです。彼はジョルジュ・ドゥヴルーのバウボ神話に関する最新の本を思い起こさせます。このハンガリーの民族精神分析家は，性的機能を身体の別の臓器に移し替えるユカタヤマシログモ（*Scytodes thoracica*）や，女性器を男性器へ，男性器を女性器へと変えるトンボについて述べています。さらに，彼は母親/子どもの精神病的カップルと動物の複合的な性関係との間に平行関係を見出します。シロアリの例です。女王とオスは小さな婚姻室に何年も閉じ込められ，定期的に受胎し卵を産むのみです。ナタンの表現では，オスは女王の器官の一部になります。それは精神分析医と患者のような関係です。患者は分析医に秘密を預け，分析医に依存します。

ある動物が別の動物の器官であるという関係も，別の状況と比較することができます。深海魚のチョウチンアンコウは，これの優れた例です。メスは口の前に垂れ下げて，獲物を捕まえる効果的で誘惑的な発光器である長く伸びる背びれを持っています。この種は別の変わった特徴をもっています。オスはメスよりはるかに小さく，メスの体に噛みつくことでメスにしっかりと固着し，ついにメスの体の外皮に癒合されます。オスは生きている間はメスと離れません。オスの口は退行過程をたどります。大きな目は盲目になり，口と消化器が萎縮し，循環系は，最後は血液によってしか栄養を摂ることができなくなるまでメスの循環系と融合します。したがってオスはもはやメスの器官であり，唯一の機能は精子を産出することです。トビ・ナタンは，臨床場面でこの現象と同じものを発見します。それは，患者が分析医の身体の付属物として自分自身を感じるというものです。

私たちはものを考える人間とそれができない動物とを対比させる傾向があります。しかし，人間が考えることができるのは，動物と暮らしているからに他ならず，また人間が実際に考えるとしても，動物は機械ではなく，人間の思考のための一つの条件なのです。動物は考えるだけではなく，人間を考えさせます。思考は性急にも言われてきたように，人間固有のものではなく，人間と動物のパートナーシップの結果です。植物を加えてもいいでしょう。人間の主体性は動物が思考に介入（intrusion）し，そこから生まれる奇妙な共謀関係によって発達します。「介入」という用語は誇張ではありません。動物が人間の内面性を開き，そこに思考の要素として居座るからです。トビ・ナタンは，両性具有であるカタツムリや，オスにもメスにもなって自分自身で受精する魚について話しているのではありません。私は高校の同級生の無邪気な質問を思い出します。まだ「自然科学」と呼ばれていた授業で下等動物の繁殖を勉強した時に「かれらに快感はあるのでしょうか？」と質問したのです。この素晴らしい質問は退職間近の女教師を赤面させました。神様，背徳的な青年をお許しください！　これはキリスト教原理主義者が決して認めないことです。つまり人間の歴史は動物学の論文からもまた読むことができるのです。

10. これらの人間と動物のハイブリッドな人間/動物コミュニティの観点から見ると，動物に関してあまりにも抽象的で，またはあまりにも知的な立場は，ものごとをよく考える人を満足させません。アンリ・ベルグソンは，人間と動物の重要な違いの一つはその見た目であり，私たちが人間以外のものと結ぶことのできる関係の型を方向づけているのだと述べています。私たち人間は個人の特性が分かるのに，動物についてはただ種が分かるというだけのことですが，トーテミズムを説明するのはまさにこの違いです。「動物の本質が独得の性質として特定されるまさにその時に，私たちはその動物の個性を種の型としてしまうのである。人を認識することは，彼を他の人から区別することにある。しかし，動物を認識することは，通常，その動物が属している種を理解することなのだ。両方のケースにおける私たちの関心というのはそうしたものである。その結果，相手が人間の場合は，私たちの知覚は個々の特徴を捉えるが，動物の場合では，知覚は個別の特徴を常に見逃してしまう。したがって，動物は具体的で個性的かもしれないが，本質的には質（qualité）として，また類（genre）として現われる。これらの二つの外観のうち，最初の外観は，今見たように，主に動物の崇拝を説明する。二つ目は，トーテムというこの特異な事柄をある程度理解させてくれるだろうと私たちは信じている」[23]。ベルグソンは，たとえ動物を「単純な生命のない物体」として扱うことがあるとしても，このトーテミズムが動物崇拝ではないことを特徴として示しました[24]。ベルグソンがこのように，後に一部の人類学者が取り上げるトーテミズムへのアプローチを素描していたことは注目に値します。ある一部族がある動物をトーテムとして同化することは重要ではありませんが，二つの部族が二つの異なる動物をトーテムとして当てているというのは重要です。ただベルグソンは，この現象をごくごく当たり前なこととして見てしまい，二つの部族が異なる血族であることを意味すると考えて，その重要性を平板に捉えてしまいました。

23　H. Bergson, *Les Deux Sources de la morale et de la religion* (1932), Paris, PUF, 1976, p. 192.
24　だれか思想史家が，ベルグソンの読者であるレヴィ＝ストロースについて素晴らしい論文を一本ぐらい書いてくれてもよさそうなものだが。

5章

自己の拡張と共アイデンティティ

彼女は低い気取った声で彼に言った。「いいこと，あなたと私は，お互いをもっと知るべきだわ，それも大至急ね。それに，あたしたち，はじめっから厄介な話題を切り出すなんて，おかしいわよ，ねえ，あたしたち，珍妙な取り合わせだわ。妙な予感がするんだけど，これでおたがい助け合うどころか，むしろ気まずいことになるんじゃないかしら」。

ジョン・クーパー・ポウイス
La Fosse aux chiens[1]

米国の森林生態学者アルド・レオポルドは，成長するということは，縮小することではないかと問うています[2]。この考え方には強力なところがあります。直観的に成長についての一つの強いイメージを示してはいますが，私たちが成長について抱いている常識的な表象とは正反対だからです。育つということは，私たちにとっては，小さくなるのではなく，大きくなることです。しかし，レオポルドはこのフレーズを根拠もなく軽々しく述べたわけではありません。彼は，西洋文化では，人間の成長は自然とのつながりの断絶を伴うと主張しています。子どもは成長しているかもしれませんが，自分自身に閉じこもることで，縮小します。というのも，自分を形成する支えとなっていた表面をすべて失うからです。豊かなアイディアではあります。でもこのアイディアはこうした望みのもてない暗いままでなければならないのでしょうか？　希望の光が地平できらめいています。それは時間の流れの中で育くむ，さまざまな愛着を通して形成される人間というものの姿です。そうした愛着というのは，自己が他者を巻き込んで共に拡張したもの（co-extensions de soi）であると同時に，自分自身も，他の存在すなわち他の人間が，動物が，植物が，たぶん人工物ですらもが横溢した結果（débordements）なのです。

1　John Cowper Powys, *La Fosse aux chiens*, Paris, Le Livre de Poche, 1976, p. 101.
2　A. Leopold, *Almanach d'un comté des sables*, *op. cit.*, p. 157.

前章で議論した動物との同一化の問題は，友情関係に見られる同一性の問題についてさらに時間をかけて問いかけるように促します。さて，私たちは出自不明の行為主体（agent）と友好関係を築くことができるのでしょうか？　人間と動物の間の強い友情関係の形成は，共有されるアイデンティティという形をとった他者のアイデンティティの正確な識別を介して成立します。その共有されるアイデンティティは自己の拡張と開放によって確立されるアイデンティティです。このような現象は，人間と非人間，現実と想像，具体的なものと抽象的なものなどというように異種の要素が織り込まれた形をとります。このように，動物という人格は，写真が現像液の中で徐々に像が浮かび上がるように，そして警察の取り調べのように次第にはっきりとして明らかになってくるのであり，友情関係を介して現れるもので，動物という人格がそれ以前から存在していたということではありません。この点で，問題の動物の文化的な第二の誕生を指摘することができ，そこから起動し始めるものを存在論的伝染という言葉で概念化できるのです。このように人間からのみ見たプロセスであることは仕方がないのですが，これは，人間と動物の間で共有される時間の持続と，特に人間の物語能力と，動物の生活を物語にしたいという思いの拠り所となっています。特定の動物たちと友だちになれるのは，人間が動物の位置を語ることができるからなのです。二つの補足的なポイントについて説明して，この章を終了します。最初のポイントは，なぜ私たちは内面性の虚構を疑わなくてはならないかを説明し，人間との集合体の中にいる非人間がどのように位置づけされるのかを理解しようとするときの，意図的な（intentionnalité）罠を説明します。二番目は，私たちが20世紀後半から，新しい現象として，抽象的な友情の出現を目の当たりにしていることに触れます。

動物との友情を求める人は，個人的には相手を特定化しています。その動物にアイデンティティを認め，そのことはむしろ人間と動物の相互アイデンティティの証となります。繰り返しますが，それでも一部の人は善意からでしょうか，それとも悪意をもってでしょうか，いまだにこれは擬人化だと言います。より意味深いのは，人間が友だちを得ることができる特定のアイデンティティをよくよく理解することでしょう。そして「友だちを得る」という表現ほど豊かな連想を起こさせるものはおそらくなかったと思います。ここで言う友人とは，人間が強く対等な感情の愛着を育むことができる行為主体として特徴づけられます。神学者と哲学教授が要求するような解剖学的正確さで，人間と動物をはたして区別できるでしょうか。もし私たちすべてが，一部が人間であり，一部が動物であり，そして明日には紛れもなく一部が機械になり，また，もし一方と他方を分ける境界が不明確であるばかりか，出来事や季節や各々の個人史に即して流動的になっているとしたらどうでしょう。人間のもつ動物性が，系統学上の系列の順序だけでなく，種が進むべきさまざまな未来や，個人が経験する文化や生い立ちに関するもろもろの出来事などが，動物学的にみて無数に介入してくることを考え併せるならば，私たちの目はある意味ではショウジョウバエの目と共通の面がありますから，純粋に人間だけの目を持っている人は誰一人としていないのではないでしょうか？

フェリックス・ガタリは「主体」（sujet）について話すことを好みませんでした。ただ「主体化の構成要素」と呼ぶものに関心があり，それぞれの要素には相対的な自律性があるのだと考えました。ガタリは，構成要素それぞれが多かれ少なかれ自己流で働いており，人間は「存在の個別の生成における不一致」を育むよう努めなければならないと言います。ガタリが説明した主体化の作業は，とりわけ「機械性」と動物性とを媒介にします。この哲学者でもある精神分析家が考えるように，この主体化は人間に蔓延しますが，特定の動物やいくらかの人工物（artefacts）にも拡張されます。「人工物」という表現は，「機械」よりもおそらく適切でしょう。なぜなら，「機械」は一般に機能を果たすだけの存在ですが，「人工物」は何よりも意味の生成者でしかありえないからです。廃物を使って機械のように動くアートを作ったジャン・ティンゲリーの言にあるように，人間に仕えず「独身」のままでいる機械は希な例外でしょう。精神の境界は個々人の境界ではありません。ガタリが言う数多くの断片（これが触媒として非常に多くの実存的分岐を導きます）が収束した後に形成される創発性と力動性をもった自己のケースというものも付け加えたいと思います。モンテーニュによれば，友人とはもう一人の自己であり，友情についての根本的な困難を二つ指摘します。友人になるためのアイデンティティを確立する必要性，および友人をつくるための隙間《すきま》を確立する必要性です。

1．特定の動物との関係に潜む表には現れない複雑さを無視することは残念ながら誤りです。動物への憐憫の情はこれら無数にある主観的態度を発達・成熟させる方法の中でも最も関心をそそられるものの一つです。中国思想の研究者であるパリ第８大学のフランソワ・ジュリアンは，西洋では一顧だにされない憐憫の情を抱くという関係を中国の思想は概念化するのですが，その強みを紹介しています。相互作用はそれぞれの存在のあり方を問うことよりも優先され，ジュリアンはこの極限の相互作用を「耐え難いことへの反応」と呼んでいます。中国人にとっては，人生は動物と動物，人間と人間，そして動物と人間の間にある複数の存在を互いに織り込んでつくられるものです。人間を含めた生き物の存在は，基本的に他者の存在と「つながって」います。同情は生き物に内在する一般的な連帯性の表現の一つです。そして，それはほとんどの場合，予期しない時に「不意に」訪れます。ジュリアンは「闖入する」と言っています。

「孟子が，私たちは動物に同情できるか？という問いにズバリ肯定で答えたのが理解できる。これはルソーやショーペンハウエルが論じた問題である。肯定で答えるなら，何故－何の名において，ということが次の問題になる。答は単純である。私たちと動物の間には個々の存在があり，生命を共有しているからだ。孟子の生贄にされる牛の話を思い出していただきたい。王は前を通り過ぎる怯えた眼をした牛を見ると，突然牛を解放するよう命じる。しかし，生贄の儀式を中止することはできない。王は牛を羊に換えるよう命じる。理屈に合わないとカントなら言うであろう。羊は牛と同じくらい哀れではないだろうか？　王の周りの人は彼の行為を正当化しようとしても，王は牛を殺すのが惜しくなって考えを変えたのだとは誰一人として言えない。王自身も居心地が悪く，自分のしたことを説明できない。しかし，孟子が王に代わって言う。つまり陛下は牛をご覧になった。そして，突然陛下の前に姿を現した牛の生存に関わる危機的状況のせいで，それがいかに曖昧模糊とした，たかが動物に関わるものであっても，陛下は否応ない形で，生々しく感じ取られたのです，普段は誰しもが自分の存在の持ち分のなかに閉じこもっているので忘れていること，すなわち自分たちは生命という同じ基底を介しておたがいにつながりあっているのだということを」[3]。

「私たちの間」が，同情が育まれる台座なのです。同情が起きる唯一の条件はあなたに起きることが私にも起きるのだということです。個々人は間違いなく存在しますが，個人を隔てるものは個人を結びつけるものより弱いのです。ジュリアンが強調しているように，個人間の分離は（ショーペンハウエルは反対していますが）ありますが，根源的なものではありません。西洋の自我の思想から出て，「内在性《イマナンス》」と「過程《プロセ》」の思想へと導いてくれる関係性の中国思想に戻る必要があります。

ジュリアンは，同情より「ren」，すなわち「根本的連帯」という表現を好みます。「一言で言えば，憐れみという感情は，私たちに生きているものたちを結びつけ，私たちの実存的孤立を打破する根本的な反応を起こさせる。動物相手でさえ他の存在の苦しみに直面し，憐れみを感じることは，動物と私が同じ存在基盤に立っているということを再体験させる。そして，これこそ中国の思想が明らかにしたことだ。中国思想にとって，この場合の私の反応は他者を危険にさらしている実存なのである」。ジュリアンは，私たちの動物性との関係のあり方を中国語の表現とフランス語の構文の両方でまとめています。孟子によって提案されたこの概念は，私の内なるエネルギーであり，道徳のすべての世界にあるものです。ルソーは，『エミール』の中で，「心の広がる力」と呼んでいます。たとえば浩然之気（孟子が説く公明正大な道徳心）について。この概念は利己主義を狭めるものであり，ジュリアンが「過

3　F. Jullien et T. Marchaise, *Penser d'un dehors* (*la Chine*). *Entretiens d'Extrême Occident*, Paris, Seuil, 2000, p. 309.

剰な感性」という概念に翻訳しようとしているものです。

　フランソワ・ジュリアンの同情の考察を越えて，人間と動物の関係についてより根本的な疑問を提起しましょう。西洋以外の思想の方が，その根本的な複雑さに対処するのに実りが多いなどということがありえるでしょうか。ジュリアンを読んで思ったのは，ほぼそんな疑問でした。挑発的な言い方をしますと，人間性と人間と動物の結びつきを考えるためには中国人にならなくてはならないでしょうか？　私たちは，ポスト植民地時代のエキゾチズムや，盲目的民族中心主義や見当違いの擬人化などという，幾分目詰まりした生地で織り上げた概念の首枷に囚われた囚人なのです。

　動物を理解するには，唯一の正しい表現を求めても無駄で，逆に表現，近似，意味論的，語彙的，および概念的な試みを増やしていくことが必要です。動物の思考，といっても動物が生み出す思考ではなく，動物に向けられた思考ですが，さまざまな言語の隔たり，間隙の中で発達します。この点が肝心です。人間と動物との異種相互間の交通のためには，人間の諸言語と底流する諸文化の連結点が増殖することが要求されます。人間‐動物関係の動物行動学上の問題は，人間同士における翻訳の民族学的問題を経るのです。私たちは動物の知性を調べるためには複数の言葉を動員する必要があります。一つの言葉だけでは，人間ではない動物を理解するのは困難です。私たちには必ずしも明確に自覚していない二つのことがあります。第一に，「動物性」（animalité）の思考は今日では根本的に再評価されなければならず，このことは私たちの「人間性」（humanité）そのものの再評価でもあります。第二に，私たちはそのための適切《アド・ホック》な概念ツールをまだもっていないということです。私たちの諸概念はある哲学的伝統からきています。その伝統とは，深淵が人間と動物を隔てており，哲学的思考こそがこの溝を正しく理解し，正当化しなければならないという確信のなかでつくり上げられたものなのです。

2．考古学者クリス・ヘルツフィールドは文化人類学者ティム・インゴールドが作り上げようとしている基本的な民族学へと私の注意を向けてくれました。インゴールドは「紡ぐ（tisser）」と「つくる（faire）」を区別し，西洋人がつくることを重要視して，紡ぐことを軽視しているということを示しました。フランス語では「絆を紡ぎ」ますが，「友だちはつくり」ます。なぜ私たちは友だちを紡がないのでしょうか？　私はこの紡ぐという表現が気に入っています。友情が均質ではないという直観に合っているからです。友情は均質でない結びつきであり，絶えずつくり直されています。私は動物との友情の確立が他の人間とのきわめて豊かな絆の確立を常に経ていることに心を打たれるのです。そう，友情の政治はこの異質性の創造的な実践を通してできるものです。ローマ人は，「ロバはロバにすり寄る」(「バカ同士でお世辞を言い合う」という意味です）と言いましたが，私の友人との関係は皆それぞれが違い，それが魅力なのです。私の友人の友人は往々にして私の友人です[4]（しかし，論理的に信じられているよりは少ないのですが)。両者の関係が論理的だからではなく，愛情の伝染やお互いの行動の一致によって友人になるのです。言語は，世界や他者を理解し行動するための基本です。

世界の概念をつくり上げる時の個人の言語は重要です。言語がその話者の認識を形づくるという見解で有名なサピア＝ウォーフの仮説は，個人が世界の概念をつくる時の言語の諸特性の重要性を指摘しており，極端に因果性を主張しますが，それはすなわちつくることを強調して，言語と知覚とが協同で紡ぎ出す織物を無視しているのです。私たちが世界や私たち自身についてつくり上げる概念の中で，言語は本質的な役割を果たしますが，それだからといって，言語が世界の原因をつくり，因果性の形で理解されうるというわけではないのです。

3．動物は拡張することによって人となります。動物は外観と余剰によって人としての地位を獲得します。見かけ以上のものを持ちうることさえあります。動物のアイデンティティは人間集団の中に文化的に組み込まれることによって発達します。フレデリック・ボイテンダイクは，このようなアイデンティティの収斂に検討を加えた珍しい生物学者の一人です。彼は，小さな雌ザルのグワがガムテープを扱うときにどれだけ人間のように行動するか示しています。私たちは皆『タンタンの冒険』シリーズの『シドニー行き 714 便』で，人間たち（誰よりもまずタンタンとハドック船長）が剝がすことができない絆創膏と格闘している滑稽な場面を思い浮かべるかもしれません。『タンタン』の作者エルジェは，このボイテンダイクの提案を逆転させます。絆創膏のネバネバ「攻撃」に直面した人間は，ハチャメチャに振る舞って動物化するのです。人間はこういったことによって自らを動物化するのでしょうか？　サルについて言えることは人間にも当てはまらないでしょうか？

ドイツの哲学者，マックス・シェラーは，人は動物と違って物を持っていると考えました。そして，物が人間をつくるので，逆ではないのだろうか，とも。動物についてボイテンダイクが述べていることは，人間の場合でも同じです。人間は，微小なものや細部への偏執的と言っていいほどのこだわりをもって，自分自身を人間化します。ロボットは，そうしたものに関心をもつことはありえません。というのも，厳密に機能主義の観点から見ても，余分な細部とはどこまでも余分だからで

4　むしろ，私の味方であるのは私の味方の味方だと言うべきでしょう。

す。このことは，小説や映画が明らかにしているでしょう。人間がつくられるのは事物や存在が織りなす生地によってであり，過度に抽象的な概念でつくられるのではありません。細部が人間をつくるのです。社会学者が言うように「微小な生命」です。

動物が人格とされるためには人間によって同化（assimilation）されることが必要です。野生動物は個体化を獲得はできますが，人格になりうるのは人間と一緒に暮らした動物だけです。私は人間社会に導き入れた動物の価値を高め，時には人間と同等の価値を認めます。イヌ一般ではなく特定のこのイヌが重要なのです。逆に，動物がそのコミュニティに入ることによって人間も豊かなります。社会人類学者ゴドフリ・リーンハートは，ディンカ族はサルの群によって想像力が満たされると言っています。17世紀の英国では，家畜を人間社会の補助的なメンバーと見なしました。他のヨーロッパ諸国では，同じ動物たちは自らの行為に対して道徳的責任を負うと考えられており，時には裁判で死刑になることもありました。英国の農民は，自分たちの動物を「個」と見なし，自分たちの血統を野生動物につながるものと考えました。これはトーテミズムなどではありませんが，個としての存在が急速に増加することになります。20世紀の終わりに見られた変化は「人間（だけの）共同体」の終わりです。そして，予測もしていなかった多くの動物が共同体に入ってきます。とりわけ動物行動学の比較研究によって，われわれ人間と遠く離れた種との類似性が衝撃をもって明らかにされました。その例としてチンパンジー，イルカ，ゾウ，その他若干の動物を挙げることができます。

4．人間の社会に入る動物は，第二の本性（nature）を獲得し，それによって「だれ」というものを獲得します。「個々人の現実との単純な符合を見れば，客観的な道徳というものは，慣習として，一般的な行動として現れる。私たちがそこで身につける習慣は，原始的で純粋な自然の意志にとって代わる第二の本性のようなものであり，その人の魂や意味が現実になっている」[5]。この二番目の本性は二番目の誕生，つまり文化の結果なのです。この文化とは，動物の場合は種間にさえも，さらには人間との関係にも広がった結果もたらされるものです。

ハンナ・アーレントは，「だれ」について「何」と対照して，こう考えます。人間が言葉と行為によって到達する啓示の質が十全に見えてくるのは，その人の人格が「他者と共にいて，味方でも敵でもなく，すなわち純粋で単一な人間的統一の中にいる」時だけなのだ，と[6]。

5　G. W. F. Hegel, *Principes de la philosophie du droit*, trad. A. Kaan, Paris, Gallimard, 1940, §151.
6　H. Arendt, *Condition de l'homme moderne*, *op cit.*, p. 202.

動物の「だれ」は同じ状況で明らかになります，動物が他者と共にある時，つまり人間と一緒にいても，そして他の仲間の生き物と一緒にいても同じなのです。人間がこの地位の変化を方向づけます。人間が動物にもたらすのは，まさにこの存在とは何かということが動物にうつる存在論的伝染（contagion ontologique）です。動物は人間との接触を通じて「だれ」を獲得します。さらに，この「だれ」が人間と同じものである理由もありません。ロシアの哲学者ニコライ・ベルジャーエフが人間の人格の核心に置いた自由と，その結果として生じる創造性は，人間のコミュニティに住んでいる動物には存在しません。たとえ機械論者の動物観を受け入れる人が信ずるよりも，動物がより頻繁に革新をもたらしてくれたとしてもです。人間は自由を発明し，一方で動物は他の行動や他の生活様式を発明します。

動物のこの「だれ」は，難しい問題で，神にはそれが分かっているとしても，動物を古典的な機械や物体とは区別するものです。これは，ほぼ動物性というものを特徴づけていると言えるでしょう。動物とは，人間のコミュニティの中で「だれ」を獲得できる動物のことです。それはそのとおりなのですが，たとえば昆虫はどうでしょう？　昆虫は私たちの文化の中では取り上げられることはあまりありませんが，世界中でそうなっているわけでは決してありません。たとえば，コオロギは古代中国にあっては「だれか」として人気がありました。これら昆虫の一部を取り込む宗教も実際にありました。こうした状況は特殊なものではありません[7]。他の文化でも，形こそ違え，お目にかかれます。たとえばクモは，北西アマゾンのトゥカノ族の間では特別な意味をもっています。近代西洋人に関して言えば，タランチュラの商取引が劇的に拡大しても，西洋人がトゥカノ族になることを意味するわけではなく，トゥカノ族と違う文化では，クモがまるで別の配置（agencement）に取り込まれ，その社会ではある種の機械ですらもが「だれか」を獲得するかもしれないということを意味しているのです。

日常的に密接に接触している身近な動物に「だれか」を割り当てないでいることは難しいことが分かっています。哲学者が言うように友人は別の「私」です。この格言は，この哲学者の想像よりもさらに真実です。友人はこの「私」の形容語などではなく，むしろ友人にとっては二番目の「私」です。哲学者の言うことを逆にしてみると，特別な強い意味となります。どのようにして「だれか」をつくるのか？　だれかになれそうな人を友人にすることだ。私たち自身の人格（personne）

7　参照 J.-P. Digard, *L'Homme et les Animaux domestiques: Anthropologie d'une passion*, Paris, Fayard, 1990, p. 145; B. Laufer, *Insect Musicians and Cricket Champions of China*, Chicago, Field Museum of Natural History, 1927, および G. Métailié, «Les Animaux d'agrément en Chine», *Anthropozoologica*, 8, 1988, p. 53-63. に引用。

は文字どおり動物の人格にまで拡張されます。往々にして私たちはこの拡張を認めることを拒むのですが，この拡張を制御することは不可能です。人間は動物と一緒に航海用語で言うところの伴走する（conserve）という機能によってユニークな人格をつくり上げます。動物の「だれか」は，動物に近づく人間の「だれか」だけでなく，その中心で「動物」が活性化する配置に依存します。そして友情は，この観点から非常に効果的な空間を提供します。自律的な「だれか」ではありませんが，それでも「だれか」です。この「だれか」は伝染性があります。さらに言えば，人間から動物へという方向の伝染だけではありません。伝染そのものは馬鹿気たことです。文字どおり意味がありません。それにプロセスは二方向です。身近な動物（それだけでなく野生の動物の可能性もあります）は，主人ではなくとも，少なくとも人間の仲間から何かを与えてもらうという認識を通じて，特定の個人的アイデンティティを獲得します。人間を通して，私たちが伝染して病気にかかるように，動物は個人のアイデンティティというものに伝染します。ただ，このアイデンティティは，人間のもつアイデンティティと重ね合わせることができるという根拠はありませんが，人間との接触のない動物が得るアイデンティティとは非常に異なるものです。

5．時間は，動物との関係における人間にとっては偉大な加担者であり，欠かせない同伴者でもあります。動物と何かをするのはいつも時間がかかります。強い忍耐が必要です。これが機械との大きな違いの一つです。適度な技能を備えた人間であれば，数分で複雑な機械を十分に効果的に使いこなせます。十分に効率よく使用されるのに長年にわたる付き合いを要する機械などありません。動物では，繰り返しはありません。人間と動物の間で共有される時間は，ベルグソンの持続，つまり創造的な持続時間なくしては理解できません。人間と動物の関係における時間は，測る時間ではなく，むしろ一緒に随伴する時間です。人間は機械を長期間放置したままにでき，必要になるまでそれを取り出すことはありません。そのようなやりかたで動物と行動をともにすることは不可能であり，時間が必要であるばかりではなく，それが必要なときに特定の愛情も必要であり，一瞬たりとも放置することはきわめて困難です。動物との付き合いには時間がかかるのです。なぜなら動物は何かの役に立つばかりでなく，共有する課題におけるパートナーとして常に認識される必要があるからなのです。

　純粋に道具である機械との関係と違って，動物との連繋は，契約とまでは言わずとも，少なくとも強い協同関係を確立する必要があるということです。どの新米現象学者もすでに知っているように，継続する時間は意識に関連づけられています。

どちらかが欠けた形を見つけることは難しいことです。だとすれば，人工物に少しでも意識を賦与するにはどうしたらいいのでしょうか。人工物は，意識を表現し発展させるためにもっとも欠かせないはずの持続と，持続に伴うさまざまな意味の経験というものを決して身につけたことがないのですから。

動物を機械として表現するのは馬鹿気ています。なぜなら，動物は意味を解釈し，しかも自分の環境，歴史，期待，欲望，信念，さらには他者の信念との調整に応じる形で解釈するからです。もし私が人と動物の間の友情について語ることができるとすれば，それがまさに一方と他方の間の関係が両者の共有する意味ある持続の中に組み込まれるからです。意味あるというのは双方にとってです。むろんそれらの意味が部分的にしか重ならない場合もありますが。ここに登場した組み合わせ《アジャンスマン》は愛着につながり（愛情になるかどうかにかかわらず），真の友情への出発点となります。

6．人間は生き物一般に関して，特には動物に対して言語を通して大きな責任を負います。形而上学的責任，おそらく，まさに特定の知識人を魅了する「人間の本性」です。この責任は，それだからといって動物を本物の人物と見なす必要性を伴うのでしょうか？　多くの人がすぐに（そして少し軽率に）この問題に飛びつきそうです。しかも真剣な議論なしに。この問いは，少なくとも立ち留まって検討したほうがいいようです。

言語は人間と動物の間の唯一の仲介者として考えられなければなりません。言語は，常にすべての人間を動物から区別して，動物性の領域から人間を区別する絶大な特徴を備えたものと考えられ，人間が動物との関係においては高度に特権的な関係を発達させることを許す基幹的な特徴を備えたものであると言えます。反対に，舌《ラング》の形から見れば，人間を他のすべての動物に最も近い動物として特徴づけることで，その言語《ラング》が，人間と動物性の間の特別優れた中心的な橋渡しであるとも言えるのです。かくして人間の興味深い姿が現れます。人間を「友だち」として特徴づける姿です。人間とは，その行動と言語によって，またその行動を言語と組み合わせること，これは人間以外のすべての動物には単純に言って不可能ですが，その組み合わせによって，人間が他のすべての動物と友だちになりうる潜在力を秘めた動物だと言えるのです。私たちの社会に動物を招き入れることを可能にするのは言語なのです。もっともこの言語は両者の統合への主たる障害を構成するものでもあるのです。このパラドックスが生まれるのは，言葉が私たちから逃れ去るか，あるいは存在しなくなるためであり，また私たちには動物を十全に評価するに足るだけの精妙さを備えた語彙論や統辞論のツールがないからなのです。

「猫に舌《ラング》を与える」(「降参だ」という意味の慣用句) という表現は，本来の意味から迂回して考えるのに十分です。語の意味を見つけようとして，答を第三者に委ねざるをえないときの無力さを認める表現ですが。動物を引き合いに出しているのではないのですが，この言語の重要性を最もよく表現しているのはまたしてもハンナ・アーレントです。彼女は，行為主体のアイデンティティを正確に特徴づけるために使える手順には，私たちの言語からくる制約があると主張するのです。私たちは，行為主体が必ずしも身につけていない特質を議論の場に持ち込んだり，行為主体をより明確に特徴づけてくれるような特質のいくつかをあえて見ようとしない誘惑に四六時中さらされているというのです。彼女にとって，このアイデンティティを特徴づけるときの問題は，私たちが何らかの物事を片づけた時のような明快さで考えられることが決してありません。そこから不安の根本要因が生じてきます。その不安は，「政治問題のみならず，もろもろのオブジェが安定剤として，凝固剤として媒介する影響抜きに，人びとを直接関係づけるようなあらゆる事態に」見受けられるものです[8]。この最後の文の重要性は，過小評価されています。言語が挫折しても，ある技法を駆使すれば，「だれ」の影響を丸ごと実現するにあたっての，私たちの最大級の欠点を補うことができるのでしょうか？　動物が約束を果たせない場合でも，動物は少なくともアイデンティティを与えられているので，一個の人格として通用するのでしょうか？　通用します。なぜなら動物は代理のアイデンティティを取得し，自分が置かれた空間を構造化することで約束を守るからです。人格という地位は，友情の前提条件として与えられるべきではありません。友情こそが人格を導いてくれるものなのです。

7．ハンナ・アーレント再び。彼女は言います。人間の特異性の一つは，伝記を作る能力にあると，つまり語られうるということです。私たちは動物の伝記がやたらと出回る現代という時代の特徴にあまり重きを置いていません。これはそれほど新奇なことではありません。19世紀のイングランドでは，数々の老犬の「自伝」が花咲きました[9]。それは英国ビクトリア朝の小説家の間ではやった文学ジャンルで，読者には大受けで催促が相次いだらしい。狩猟犬，逃亡犬，または拷問された犬などの架空の自伝が，それぞれ小説，ニュース，または詩などといった具体的な姿となります。想定される「犬らしさ」が，読者に提供される物語の中心的な回転軸となります。日々人間と犬を結びつけている強い感情を伴う愛着は，多くの雑誌の中

8　H. Arendt, *Condition de l’homme moderne, op. cit.*, p. 204-205.

9　T. Mangum, «Dog Years, Human Fears», *in* H. Rothfels, *Representing Animals*, Bloomington, Indiana University Press, 2002, p. 35-47.

で，亡くなった犬を記念したエレジーと碑文という形によっても表現されました。高齢と死が，動物へのこの強い愛着への思いの構成要因です。件の犬は，主人の墓を訪れ，心臓発作で死亡するか，あるいは自殺するのです。ビクトリア朝の文学に登場する犬の多くは老犬ですが，主役に甘んじているだけとは限りません。さらに加えて，人間の方が特別こだわる主役というのもあるのです。

この犬の物語は，文学に限ったものではありません。絵画でもありえます。当時のイングランドの動物絵画の巨匠であるエドウィン・ランドシーアは，犬の物語では非常に人気のあった二つの主要な作品を描きます。1829 年の The Poor Dog あるいは The Shepherd's Grave と，1837 年の The Old Shepherd's Chief Mourner です。こうした絵による自伝は犬を扱ったものだけではありません。1877 年に登場したアンナ・セュウェルの Black Beauty は，馬の生涯を描いたものですが，同じ頃，英国のみではなく，フランスにおいても人気のあったものです。

動物の伝記はそれに関わる動物の外部にあるものです。これらは，何よりもまず動物の代わりに人間が語った伝記です。しかし，人間の伝記はそれがプロの伝記作家によって語られるとき，濃密なものになるきらいがあるのではないでしょうか？　それは例外的でしょう。大多数の人々は，簡潔な，口頭での，または断片的な伝記で満足するものです。問題はそこではありません。動物は語ることのできる生をもっていて，しかもそれは人間を通してだけ語られるということです。人間はその果実を収穫します。人間は動物に対して，動物の歴史に応じて違った行動をします。ただしその歴史を知っていないといけませんが。動物の伝記がかなり素朴なままであっても，その知識は動物に影響し，「人格」について語り始めることもこの段階では現実的に可能となるのです。動物にとって，身近な人間が中心軸となり，その周りで動物の生が意味をもつことができるのです。動物の生は，人間の生と同じように語ることができます。しかし人間の生は人間自身によって語ることができますが，動物はそれまで生きてきた生を語りませんし，自分が今そうである理由を探すことも決してありません。類人猿は話すと言っても，言語能力がどうであれ，ほとんどの人間がその生を語るようには，自分たちの生を語ることはできません。人間の過去とその歴史は一貫した語りの枠組みに組み込まれているのに対し，動物の記憶は過去の離散的な経験がただ連なっているだけです。人間は自分の歴史と動物の歴史を語ることができるのです。

しかし，人間も動物も自分たちの生の生産者ではありません。プラトンはこれをよく理解していました，私たちが創り出す物語《イストワール》とは異なり，真の歴史《イストワール》には著者がいません[10]。動物は，その経験が人間の二重の歴史，すなわち生きられている歴史とその上に重ね合わせられた想像上の生きられた歴史（つまり，線というよりは表面の）の基本原理に従う瞬間から「だれか」であることを獲得します。聖アウグスティヌスは人間が個々別々に創造されたと考えていました[11]。反対に，動物は集団でまとめて命名されたと考えます。種というものが動物の生の特徴なのです。人間の生のもつ個別性はそれに反しています。人間はこの状況を変えますが，このことが人間の存在論的行動の主要な一つですらあるのです。まず動物を家畜化することから始まります。次に，動物を家族の環に入れることによってです。たとえばピーター・シンガーがするように，道徳の環を必要に応じて動物にまで拡大するということを強調するあまり，私たちは家族のことを忘れがちです。家族の中にはすでにずっと以前から，動物，少なくとも特定の動物が一員となっているのですから，私たちは動物たちと友だちです。なぜなら，私たちが動物たちを友だちであるかのようにしてその生を語るからです。そして，その結果，動物たちは実際に友だちになるのですから。

8．私たちは動物とすぐに友だちになるのではありません。私たちがおたがいに結ぶ絆は，友情と呼べるような強い愛着を生みだし，私たちはこの愛着をおなじ絆と一緒に保持するのです。しかし，当の動物たちは，私たち自身も同じですが，こうしたプロセスの間にいちじるしく変容します。特に動物は新しい地位を確立します。行為主体であり，私たちには一個の個人と見えた動物は，私たちにとってはついには一個の人格として，自己を定立するのです。動物＝主体から動物＝人格への転換は，人間との関係があってこそ生ずることですが，系統発生，そして文化という長い二重の歴史の結果でもあるのです。主観性はいつ出現するのでしょう？　個人はいつ，どのように現れるのでしょうか？　そして何より，ここで私が関心を抱くのは，そこで友情が築かれる根拠となる個人と個人の間の間個体性とも呼ぶべきものがいつ生まれるのかということです。

　ポーランド出身の哲学者ヴィオレッタ・ミスキエヴィッチは，エドムント・フッサールの仕事を通じて考える主体（動物と人間）にアプローチします。ミスキエヴィッチは非常に実り多い解釈をするのです。彼女の主張するところでは，私たちが主体の確立を考える際に出発点としている二つの二分法は，その内実がきわめて疑わしく見えるというのです。内部と外部を対立させる二分法と，前と後を分ける二分法です。ミスキエヴィッチは，哲学的伝統における表象概念の戦略的重要性を指摘し，その問い直しを起点にして，人間と動物の関係を根本的に再考できると主張します。「表象概念自体の論理的可能性に関する条件を分析する場合に，また

前ページ10　Platon, *Lois*, p. 644 et 803.
11　Saint Augustin, *De civitate Dei*, XII, 21.

さらに私たちが感覚様相の違いの背後において，表象の理論的枠組みの基本的な構造とは何かを探求する場合に，私たちは次のことを発見する。一方では内部／外部の区別（表象／表象されるもの）を，また他方では体験の空間的構造化，その結果として，個々人の精神的時間が古典物理学的時間に従属していること（表象されるものが時間的に先行し，その後に表象概念ができることは，表象概念の条件としてもともと決まっている）を発見するに到る。西洋哲学の簡単な系譜を見ると，このような立論の第一（表象と表象されるものの区別）はデカルト以来の西洋哲学の哲学的遺産の基礎であり，二番目（空間と時間の経験的な妥当性）はカント主義が先験的に正当化している。しかし，それらは見た目ほどには一般的には理解されてはいないようである」[12]。

ヴィオレッタ・ミスキエヴィッチは，フッサールの思想から，人間と動物の間の強い間主観性（二者の主観の間で同じ思いが生じてくること）の可能性についてきわめて味わい深い内容を引き出します。彼女はいくつかの注目すべき現象に注意を向け，開かれた生態学および発達心理学的視点でこの問題を考えます。この特徴づけは，ここで問題となっていること，すなわち私が他の所で「人間と動物の異種融合社会」として提唱したことが生じうる可能性を正確に理解するためには不可欠であると私は考えます。社会的な位置の測定という現象（人を介した学習）と感情の調整という現象（ミスキエヴィッチによれば，愛着に満ちた共同体の研究は，そこで感情を共有することが，他者から感情的に認知されているという気持を生じさせる），これは彼女が発達心理学者ディーター・ビュルギンから援用したものですが，彼女の論証の中で基本的な役割を演じるものです。彼女の議論は，このアプローチの可能性を明らかにします。すなわちミスキエヴィッチは，児童心理学における最近の研究を発見的手法を使って解釈したうえで，人間と動物の違いは自明であり，違いを吟味するだけでいいという私たちの確信に揺さぶりをかけるのです。

このポーランドの哲学者は，確かに乳幼児心理学の蓄積を援用して動物の間主観性と主観性を考察した最初の人というわけではありませんが，このようなアプローチはかなり珍しいと言えます[13]。ですがここで彼女が示している影響力と力量は，これまた未曾有の恐るべきものでもあるのです。乳幼児心理学を援用するというこの理性的な回り道は，あらゆる可能性を見せてくれます。「理性をもった行為

12 W. Miskiewicz, «Le sujet pensant-entre l'intersubjectivité et l'interaffectivité», *Alter* 10, 2002, p. 323.

13 この関係の歴史についてはMartin Thomasの注目すべき業績，とりわけLouis Boutanをめぐる論考を参照。«Are Animals Just Noisy Machines? Louis Boutan and the Co-Invention of Animal and Child Psychology in the French Third Republic», *Journal of the History of Biology*, 38, 3, 2005.

主体の社会にどのように参加するのだろうか？　そこから出ることは可能だろうか？」。子どもは当たり前の如く，つまり文化的に，そのような社会に参入するように求められているものとして現れます。つまり，このことは厳密に言えば，子どもはすぐには（最初からは）その社会の構成員ではないということです。育て上げることが必要です。より正確には，それに関連する教育が必要なのです。ミスキエヴィッチは，この相互愛着の考え方の極端に，表象を重視する認知へのアプローチから表象の因果性理論を超えた理論へと導くことが可能だと示唆しています。

これらの「小さな人（子どもたち）」は，むしろ環境との共生の中で自分自身を見失ったり，あるいは自分自身に出会い，ミスキエヴィッチが線状の延長ではなく，相互の愛着の厚みと呼んでいるものを含む時間によってとりわけ性格づけられるのではないでしょうか？　他者の共同体に参入することは，他者の中に自己を生成させる多大な努力の結果です。そして動物はどうでしょうか？　動物は，その種のもつ合理的な共同体の境界だけでなく，他の種，たとえば人間の共同体との境界を越えることはできるのでしょうか？

たとえば，家畜化はこの視点から理解できるのでしょうか？　ミスキエヴィッチはそれについて語りませんが，考えていないことはないようです。間主観的現実が身体化され，彼女がいみじくも言う如く「肉の中にうち立てられる」ものなら，人間と動物を根本的に分離することはもはや不可能であることを彼女は非常にはっきりと捉えています。この観点からすると，現象学はおどろくべき「開け」を約束する空間になります。「フッサールの現象学には，動物の主観への認識があり，その結果，特定の状況において，動物に対する先験的な相互主観性の可能性が開かれている」。フッサール主義者にとっての動物はこのように客観的な世界の構築に参画し，共感の概念は動物にまで拡大することができるのです。人間とその新生児の関係は，人間と動物の関係に近くなります。この二つのケースでは，認知的相互作用は互いに非常に似ています。

ミスキエヴィッチの論証のある一点は過小評価されてはならないでしょう。彼女は，認知の概念化における表象概念の地位というような明らかに抽象的な議論が，生産的な仕方で人間と動物の関係という問題を考えるのに不可欠であることが最終的に明らかになることを，説得力ある方法で示します。この見方からすると，人間の日常の感覚に従った認知と，動物のそれはきわめて似通っているということになります。ミスキエヴィッチは，フッサールにとって，表象のきわめて特殊な扱いによって，人間と動物の間に本当に相違を設けたのは科学である，と強調して述べているのです。それはともかく，彼女が書いているように，「思考の自律性は，その起源をたどれば，そこには実際に一つのコミュニティがあったはずである……[14]」。

9．私は上で友情は決して抽象的ではないと述べましたが，この考えに戻りましょう。そのとおりでした。ですが，状況は変わりつつあるので，私が「抽象的な友情」として特徴づけた感情は，実際には 19 世紀の西ヨーロッパの世界に現れたものです。それは自然そのものへの愛や友情です。またあれこれの動物の個体に対する愛や友情だけではなく，しかじかの動物種，たとえばチンパンジー，ゴリラ，パンダ，イルカなどの動物種への愛や友情でもあります。この抽象的な友情が 19 世紀から始まったことは明らかです。その誕生は正確に確定すらできます。20 世紀の初めに米国の自然保護活動の先駆者であったアルド・レオポルドは *Almanach d'un comté des sables* の中で，1865 年を決定的な年だったとして明記しています。事実，それは「野生で自由で自然な生き物への大いなる思いやり」の年であったと書いているのです[15]。そして「他の種を悼む種はこの地上で紛れもなく新しい何かである」という言葉によって，森，野生，そして本物の狩猟を愛するこの人物はさらに凄味を増すのです[16]。他者に思いを馳せることが，今や種の違う他者にまで及んでいるのです[17]。

面白いことにジョルジュ・バタイユもこのような形の友情に言及しています。バタイユは奇妙なことにあいまいな友情と言います。それを旧石器時代の人間のものとし，すべての狩猟民族が自分たちが欲し，かつ殺す相手である動物に対して抱く友情だと言うのです[18]。これらの猟師の視点は，現代の人類の視点とは非常に異なるものです。バタイユはわれわれ現代人の視点を不在視点と呼んでいます。これは私たちが有用でありきたりの事物に向ける視線，共感も同情もない冷たい功利主義の視線であって，産業社会の時代を特徴づけるものです。「あいまいな友情」は，この上なく非対称的な友情です。それは二つの極端な形で表現されます。まず，秘密の友情です。ある人間が別の人間の隠された友人である場合です。私はあなたの友人であり，あなたを当てにすることができますが，あなたはそのことを知りません。次が多数に対する友情の場合です。私はパレスチナ人，ユダヤ人，インディアン，ブッシュマンあるいはサンと呼ばれる人たちの友人ですが，私がこれらの人々を個人的に知らないという事態です。バタイユがそれに言及こそしていませんが，動物一般に対する，または特定の動物種に対する特定の人間の友情もこのカテゴリ

前ページ 14　W. Miskiewicz, «Le sujet pensant-entre l'intersubjectivité et l'interaffectivité», art. cit.

15　A. Leopold, *Almanach d'un comté des sables, op cit,* p. 34.

16　*Ibid.,* p. 145-146.

17　この点で，人間の人間に対する愛情は少し異なる。

18　G. Bataille, « Le passage de l'animal à l'homme et la naissance de l'art », *Œevres complètes,* Paris, Gallimard, t. XII, 1988, 272.

に分類されます。このフランスの作家のあいまいな友情には，今一つのカテゴリ，この非対称的な友情の下位部分が含まれています。すべての動物が関わるというわけではなく，ましてある１種または数種のすべての動物というのでもないのです。ただ，特定の条件下で，とりわけ狩猟の対象となる動物だけが関わるのです。

6章

友情のテリトリー

> 今カラスがうまくやれていれば，別のやり方をしてもおのずとうまくいきます。仲間の感情を糧とし，仲間の喜びをわがものとし，仲間の謎にこだわりましょう。要するに，回りを自分自身より少しだけ広げてみるのです。
>
> ヴァンシアヌ・デプレ
>
> 『オオカミが仔羊と一緒に生きるとき』[1]

ノルウェーの哲学者アルネ・ネスのエコソフィ（環境哲学）など，20 世紀の若干の知的運動の目的は，生きているものそれ自体を人間の思考に導入し，愛着のコミュニティに共存を広め行き渡らせることです。そこでみられる個性化は，そこで観察できる統合化と同じくらい重要です。その社会の中の各主体性を増やすことが，結果的には，政治プログラムとしてだけでなく，内面世界の形而上学的な企図としても，精神的な参画としても，優先的な順位を獲得します。西洋人の人間と自然を対立させる考え方は，むしろ例外となるのです。多くの民族にとっては，社会的慣習は動物にも，さらには植物にも見られるものです。外見に惑わされるので，実を見ることが必要となります。諸々の存在は，存在しているように見えることによってではなく，複雑な相互作用のシステムの中や現実の空間の中に占める位置づけによって定義されるのです。すべての動物は行為主体（sujets）であり，その多くは個という存在になり，またその一部は社会の中心で紛れもない人格にさえ変容します[2]。

この章では，私が友情の物質性と呼ぶもの，すなわち友情の領域の設定という本質的な問題を議論します。友人は共通の物理的空間に共存しますが，それが自明であると考えるのか，それとも関係が生じる前からあったのかと考えるのは無謀です。それに

1　Vinciane Despret, *op. cit.*, p. 224.

2　これが私のエッセイ *L'Animal singulier* の主題である。

> 対して，私は，友情の地政学的な条件が整うと同時に，友情も生み出されると提案します。特に，私たちの現代的な西洋の概念に強く定着している信念によれば，行為主体がある場を占有すると言いますが，私はそれに異議を唱えます。私は考え方を逆にします。その考えによれば，占有された場が基本的に行為主体とは何であるかということの一部であり，友情というような現象の理解には，いかにして異なった行為主体が，とりわけ人間であっても人間以外であっても，共有スペースを占有できるのかを理解することが必要なのです。この点で，公的空間と私的空間の二分法を再考することが重要です。

人間と動物の間の友情を考えるには，この世界の共同生活の論理をもっと理解しなければならず，そうすると，なわばりの共有の論理も理解しなければならないことになります。私たちは友情の過度に心理学的な見方を簡単に受け入れがちです。この非常にロマンチックな感情の収束に関する見方をより地政学的な見方に置き換えなければなりません。換言すれば，私たちには友情の地理学と情念の配置図が必要なのです。17 世紀フランスで流行した，恋愛の道筋を寓意を用いた地図で表した「恋愛地図」の 21 世紀版には，さまざまな地位にある行為主体，とりわけ動物や多少とも自律した人工物が含まれる必要があります。

ジョン・ヘンリー・リヴィングストンは，動物は自分と同じ種であろうとなかろうと，そしてまったく自意識がなくとも，常に他の動物との競争に臨もうとしているという信念に異を唱えます[3]。私たちの文化的営為における行為主体が何であるかに過度に制限をかける考えを批判し，動物を正しく評価することが不可欠になります。いくつかの見事な論文の中で，このカナダの生物学者は行為主体の概念をなわばりの概念に結びつけるのです。なわばりとは，リヴィングストンによると，動物行動学では防御と占有という行動から導き出される「反動的」といえるような方法で定義されました。動物行動学者たちによって持ち出されてきたなわばりは，何よりも，語の土地という意味において「動物の領地」として定義されます。リヴィングストンはこのアリストテレス由来のアプローチを不適切だとしています。これに対して，社会生態学者のニール・エヴァーンデンを援用しながら，彼は鳥のなわばりを「発情期に向けての自己調整」と考えることを提案します。このアイディアは厄介ではありますが，豊かな考えです。それは，行為主体を貧弱にしかねない心理学でいう主体の概念を拒否し，代わりに主体をもっと豊かにする季節性（これが巡って来て発情繁殖するという性質）と地理的拡張に置き換えるというのです。この観点からは，歌う鳥は自分の領土を主張しているというよりも，我ここ

3　J. Livingston, *Rogue Primate. An Exploration of Human Domestication*, Toronto, Key Porter Books Limited, 1994.

にありと主張しているのです。鳥の種によっては，繁殖は集団現象であり，最低限の数の鳥が同時にその場所に存在していなければ起こりません。重力（物理的な意味での）と密度を排除してしまっては，種の繁殖を行うことができないとでもいうみたいです。ニール・エヴァーンデンはさらに「自己の場」を持ち出します。このように開かれた視点から，リヴィングストンは，集団としての自己意識の概念を，共同体としての自己意識の概念に対比させています。彼にとって，これらの「自己」は相互に排他的でも，序列的でも，階層的でもありません。したがって，自己の限界の問題は先鋭な問題です。一個の自己はどこまで拡張されるのでしょうか。生き物の集合全体にまで及ぶのでしょうか？　リヴィングストンは「生物圏意識」を指摘し，オオカミの叫び声，クジラの歌，カラスの空中アクロバットに似たような心情を読み取ります。友情の心理学的表現を捨ててこそ，私の友人の友人が私の友人でありえるという考えが逆説的に現実的な意味を帯びてくるのです。

こうして動物化の洗練された形式が，若干の動物における自己を目指すヴェクトルへの変換の中に表れます。人間は特定の動物と一体化することで，自分の中の何か本質的なもの（またはそうであると信じているもの）を表現します。今までになったことのない動物として自分を表現したいと思った時に，その意志を導く動機は代わりとなるその皮膚の内側に潜りこもうとします。「動機（mobile）」とは動くことと同時に，動きつつあること，また動き出そうとすること。フランス語の単語は心地良いほどに曖昧です。そうした動物との親密な関係では，「私たち」ではなく，強化された私が出現します。動物はある集合体に変身するのではなく，拡張された行為主体（sujet étendu）に変身します。その各々の「私」は，なわばりの中にいる「私」たち全体の結果として，また他の「私」たちの一貫性を保証する「私」たちの中の一人として登場するのです。

詩人ランボーの有名な一句「私は一個の他者だ」は極限にまで過激化されなければなりませんが，閉じ込められている純粋な文学から取り出す必要があります。「他者」は動物であり，植物であり，あるいは人工物でさえありうるからです。心理学者ジュリアン・ジェインズは神でさえ他者だと言います。この「私」の他者性は，二つの動きの結果に組み込まれます。一方は内面化し，同化させ，占有し，没収する動き。他方は，他者への付与と投影です。私の他者性は自己回帰を強化することで，外部化と自己譲渡の特権的なヴェクトルになりえるのです。「私」は他者という打ち寄せる波の中の引き波のように形成されます。このような結論を出すのは難しい場合があります。他の人との関係は，言葉のあらゆる意味で生に関わ《ヴィタル》る（重要な）ものであり，私にとって都合が良い意味だけではありません。他者を食べないでどうして生きていけましょう？　菜食主義者はこの尋問に過度の否定的な意味合いを込めることにより，力の限り圧力をかけます。生物学者ジョン・バード・サンダースン・ホールデンが菜食主義者を野菜の叫び声が聞こえない人であると形容したときに，彼は実際に恐るべき鋭敏さをもってこのことを認識していたのです。

この「自己」のヴィジョンで，伴侶動物に結びついた特定の現象をよりよく理解できます。飼い主にとって犬とは何でしょうか，また，犬にとってその飼い主とは何でしょうか？　この問いは，ちょっと見ただけでは気がつかない問題を提起します。それまでは，人間と動物の関係で問われたのは個々の自律性の問題でした。犬はどの程度，飼い主に依存しているのでしょうか？　民族学者のアーリュークとサンダースはこの問題を扱った数ページの中で[4]，犬と飼い主との関係はさらに複雑をきわめると指摘しています。そして，非常にうまくいったとして，犬に対して思いやりを欠かさないままで道具として処遇するといった扱いに両者の関係を還元できても，その関係が引き起こすさまざまな得失を引き受けることに立ち戻る羽目になるのです。犬の飼い主は，視線，発声，体の動き，コミュニケーションの取り方などを学ぶことで，動物とのかかわりを実験しているのです。まるで動物が飼い主の言うことが分かっていると思っているかのように動物とかかわるのです。飼い主は動物のそばに立って，穏やかな声で，時にはかん高い抑揚を伴って話します。話し方はゆっくりと，発声は短く，最後にアクセントが置かれたフレーズという，古典的な疑問形です。子どもや病人相手にする人と同じように，動物の飼い主は，動物の視点，欲望，思考，経験を翻訳する義務がある状況にあることに気づくのです。翻訳は明らかに一つの解釈ですが，それは正しいでしょうか？　問いはそういう言葉では発せられません。問いが生ずるという事実からして，問いは作業に内在するものなのです。強い解釈というのも，ずっと弱い解釈同様現実離れしているものですが，そうした解釈でいくと，飼い主は犬の思考を解釈するのではなく，犬に思考を与えているのだと考えられるかもしれません。何を与えられるというのでしょうか。すでにデリダがもっとも興味深い論考の一つで[5]，そう問いかけていました。たぶん，当時デリダが想像していた以上のものを与えられるでしょう。それは本物のアイデンティティです。おそらく彼が当時想像していたよりももっと本物のアイデンティティなのかもしれません。犬の飼い主は，犬が何らかの奉仕をするとか，いてくれるだけでいいということと引き換えに，犬を養うという実質的な役割を果たしているだけではありません。飼い主は，「犬に代わって語る」という事実において，動物のアイデンティティを積極的に確立するのです。言語化は犬を定義するのに役立ちます。この言語化は，犬の行動を理解の文脈に根付かせ，集団行

4　A. Arluke et C. Sanders, *Regarding Animals*, Philadelphie, Temple University Press, 1996.
5　J. Derrida, *Donner le temps*, t. 1: *La Fausse Monnaie*, Paris, Galilée, 1991.

動を構成する実際的な相互関係の連鎖を築くのです。アメリカの獣医師の80％の顧客は，人間にするのと同じように犬に話しかけています。その結果生まれる伝達行動は，会話における本物のやりとりの営みとして容易に記述しうるものです。動物は，何を言われているかを理解し，それに適切に反応するものと思われています。獣医師は，顧客が一人称で話したり，一人称複数の「私たち」を使って話すのに慣れています，たとえば「私たち，今日は気分が悪いの」といった具合です。人間は，社会学者アーヴィン・ゴッフマンが「共生」と呼んでいるものを犬と一緒につくるのです。犬と人の二人組は，他者から団結して単一行動をとるものと認められなくてはなりません。ある意味では，犬は飼い主の文化的自己の拡張であり，そして逆でもあります。

1. なわばり（テリトリー）の問題は，少なくとも1920年の鳥類に関するH. エリオット・ハワードの研究以来，動物行動学にとっては悩みの種でした。なわばりは生物群集のことでもなければ，ビオトープのことでも活動域でもありません。これらの空間カテゴリは何をおいても種の空間カテゴリのことです。一方，なわばりはむしろ個体か，ないしは種が占有する空間内部のグループに固有な単位なのです。なわばりは常に個体化されています。バーゼル動物園の園長であり，優れた動物の専門家であったヘニ・ヘディガーは，やや謎めいたことを書き記しています。つまり，「ある動物は理論的にはビオトープ全体を動き回ることができるかもしれないが，その各個体の特性ゆえに，ほとんどの場合は何もしない」。私が謎めいたというのは「各個体の特性（caractéristiques individuelles）」という理由からです。ただ，それについてはヘディガーは何も話そうとしないのは当然で，「各個体の特性」を，動物の一般的な科学の枠組みの中でどう考えたらいいのか分わからないからです。このスイスの動物行動学者の分析は詳細に議論されるべきです。1940年代，ヘディガーが本を執筆している時点では，動物行動学は研究者における反射的な振る舞いまでが定着している既存の学問分野ではなく，「なわばり」のような概念にしても，たとえ広く認められてはいても，後で受けることになるような扱いをその当時は受けていませんでした。これに関して強調される点がいくつかあるのですが，その哲学上の構想と経験的理解の両方において，「自然，自明」と見える概念こそが扱い難いということが示されるのです。

—動物のテリトリーには，常に身体が重要な次元として含まれています。テリトリーは当の動物の身体生理に常に関係するいくつもの指標から構築されます。視覚，聴覚，嗅覚そして触覚すら含む指標です。ヘディガーによると，たとえばキリンでは，そこにいるというだけでその全身が関与しているというのです。これは彼がオプト・スタティック方式（静的視点方式）と呼んでいるものです。カニはオプト・ダイナミック（動的視点方式）な方式をとります。特定の器官を目立つように動かすこと，ここでの例では，ハサミを信号手段として使っています。ワニ（*Alligator mississippiensis*）は，反対に，唸り声を発することで，どこまでも音響的に領域を確保します。類人猿の場合，ヘディガーは音声信号が実は緩衝帯となっていると言います。その結果，しばしば致命的となってしまう戦いを避けることができるというのです。嗅覚信号の使用はよく知られています。ある動物は，分泌物の痕跡をなわばり内の戦略的な地点に残し，しかも定期的に更新します。これは一般的にオスの活動であるとヘディガーは強調します。

—動物のテリトリーの痕跡づけの様式には冗長さがあります。つまり，複数のコミュニケーション様式をとるわけです。ワニはそのなわばりを嗅覚と音響によってマーキングし，ヒグマは嗅覚と視覚でマーキングするなどのようにです。

—ただ，なわばりはむしろ否定的に定義されます。ある動物が特に何かをする空間というよりは，他の動物がアクセスできないようにする空間なのです。ヘディガーはまた，次のようにも書いています。それによると，「最良かつ最も簡単な定義は，動物学者グラッドウィン・キングスリー・ノーブル（1939）の定義で，『なわばりとは禁じられた領域である』[6]というものだ」。特定の鳥の間のなわばりは，巣作りが行われる場所である可能性がありますが，まずは他の鳥が巣作りをしにくることを許さない場所ことなのです。

—なわばりは，常に生活空間に重ね合わせることができるとは限りません。クロウタドリのなわばりは，巣，歩き回る範囲，そして狩猟空間の一部からのみでなりたっています。しかも，このことはハイタカの場合でも往々にして同様なのです。

—なわばりは隣接してはいません。それらは，ヘディガーが「ニュートラルゾーン」と呼ぶものによって互いに隔てられています。

—なわばりは同種の動物たちにとって，そしてかれらにとってのみ意味があります。ハイエナはライオンとの間で確執を引き起こすことなく，ライオンのなわばりに入ることができます。ダチョウは，一緒に棲むホロホロドリ，ワニ，トカゲには無関心です。1941年，鳥類学者オスカー・ハインロートはここから法則を発見しました。系統発生的に種が離れているほど，同じ空間を共有できる，と言うものです。

ただし，なわばりは動物の主観的な地形の一部であるという以上のことは表わしていません。動物文学者のアーネスト・トンプソン・シートンが1909年に述べたように，動物はデタラメにさまよっているのではありません[7]。動物がたどる動

---

6 H. Hediger, *Les Animaux sauvages en captivité*, Paris, Payot, 1953, p. 19.
7 Seton, *op. cit.*, p. 23.

線は，厳密に固定されていることが多いのです。所有の概念は，ヘディガーが「私たちはなわばりというものを，所有者が自分のしるしでマークし，防衛するおのれの領分として示すことができる」[8]と書いたときに登場します。ヘディガーの別の発言はこれと少し矛盾しますが，私にはむしろ正しいと思われます。「明らかなのは，いわゆる自由の状態にあるとはいえ，動物は自由ではなく，むしろ，獲得し，しるしをつけ，防衛している空間，なわばりに閉じ込められているというのが本当のところである」[9]。ちょっと卵が先か鶏が先かという問題に似ています。つまり，動物は，「所有権」を確認するために認知済みのなわばりにマークを付けるのでしょうか，それとも所有権をマークすることがなわばりを構成するのでしょうか？　実は動物はなわばりを「所有」していません。私たちが，地理的地政的な観点から「なわばり」と呼ぶものは，アイデンティティの拡張なのだと考えることができます。動物はなわばりを持っているのではなく，その動物がなわばりそのものなのです。動物は空間におのれを拡張するのです。なわばりの確立は，自己のなわばり化と表現できるでしょうか？　これは，進化生物学者スコット・ターナーが拡張する生物という見方で確かめたことです。

人間たちと一緒に生きる動物は，自分の行為主体性とそのアイデンティティとを再度なわばり化します。しかし，ここで別の問題が出てきます。猫は鳥やオオカミのなわばりとは重ね合わせることのできない私的空間を持っています。マルセル・モースは，『社会学および人類学序論』の中で，人間が犬を家畜化したのであれば，人間を家畜化したのは猫であると述べています。家庭の動物とは，野生の同類たちが知るよしもない対象《オブジェ》に囲まれて発達する動物のことです。こうした対象は確かに仲間ではありません。それにもかかわらず，家庭の動物たちはオブジェを手なづけています。所有するのではなく，生活空間に組み入れているのです。自分自身ではオブジェを作り出すことも，使ってみようと考えたり，使い方を伝授することもできませんが，機会さえあれば，オブジェに強い執着を示します。正統派の動物行動学者たちは，動物による人間のオブジェの領有ということを十分に研究していません。おそらくそうなれば真正の動物誌，つまり動物自身がつくったのではない文化的空間に棲む生きものの動物誌を展開することが必要になるからでしょう。動物行動学者には，まさに人間は自ら作成した文化の中で生活しているという，一般的で暗黙下の仮説があるからでしょう。子どもはどうなのでしょう？　子どもは，動物とは対照的に，自分が後から部分的にせよ更新する文化の中に生育しているのだ，というもっともな主張はありえましょう。確かにそうかもしれませんが，統計

8　Hediger, *Ibid.*, p. 19.
9　Hediger, *Ibid.*, p. 20.

的にはどうでしょうか？　大部分の人間は猫よりも自らの文化を更新しているでしょうか？　たとえ答が不明確でも，少なくともこの問いを発することには意義があるのです。

人間のなわばりは心理的，文化的で，霊性をもつだけでなく，物理的でもあります。これらはハイデッガーを思い起こさせる環境世界（Umwelt）なのですが，この環境世界という表現はハイデッガーがフォン・ユクスキュルから援用したものです。一部の動物行動学者たちは，動物のなわばりは自分が展開する物理環境以上のものであり，自身の主体性を構成するものだという考えを主張し始めました。動物はこのなわばりに住んでいるのではなく，動物自体がなわばりの一部であり，なわばり自体もなお動物の一部なのです。このような観点から対角線上にある種間の友情を考え直してみる必要があります。友人となることは，他者との特別な関係を確立することだけを意味するのではなく，他者と共生すること，他者の中で自分の延長となり，同じなわばり内で他者の拡張になること，つまり共になわばり化することを意味します。種間の友情はこうした共通の時空間のつながりをつくり上げる構造に依存します。

2. 動物学者シャーリー・ストラムは，私がすでに援用した「ヒヒ化」により，彼女を魅了したヒヒの友情の興味深く衝撃的な特徴を発見します。互いの相対的な位置取りとそこに繰り広げられる身体的特性が重要なのです（感情はほとんど重要ではありません)。友だちとはまず互いに近くにいる相手のことです。ヒヒの友だちが共有するものは，感情よりも，野生の近接性なのです。彼らは一緒にいても何もしません。寝て，リラックスしているだけです。ヒヒは，たとえばグルーミングのような行動を特段の意味合いをこめて行うので，他の者と何もしないでいることができるのです。このことは見かけよりも重要です。私たちの文化では，活動性が重要です。何もしないでいることは非常に否定的に色づけされます。ヒヒの間でのこの「何もしない」という観察では，そこにいること自体が強い力を必要とするために，ストラムは無為とは何の関係もない無活動というものの肯定性を見出すことになるのです。時間とその持続は友情の装置に重要な役割を果たし，「真の」友人は何年にもわたって身近にいることができます。近接性は親密さを伴います。ストラムは，ヒヒの友情の本質的な構成要素の一つが，その一生の「親密な細部」の共有にあることをまさに強調しています。

グルーミングなどの特定の行動は，潜在的な友情を形づくります。それはなだめる効果があり，何よりも物理的な近接と身体の位置の調整を生み出します。とりわけても親密さへ導き，それを可能にしてくれます。いかにして遠く離れていて友だちになれるでしょうか？　遠くにいる相手をどのように気にかけることができるでしょうか？　動物にとっては，この遠方という状況は，受け入れるのにあまりにも抽象的です。友情が生まれるのは，動物にとって好ましい社会的な行動環境においてのみなのです。ストラムは，雄の新参者レイの他のヒヒとの友情がどのようにして生まれ，グループのメンバーになったかを詳しく説明しています。レイは効果的な方法でこの友情につながる近接性をつくり出すのです。

飼いならしは友情を形づくることにおいては非常に重要な「近似性」の基本的な過程の軸となります。動物が別の動物を飼いならすことができるという考えは一見すると少し奇妙に聞こえるかもしれませんが，それは「飼いならし」が動物に対する人間の特権となったからにほかなりません。ストラムには，この飼いならしが空間内の立ち位置と体の置き方を同時に管理することに基づいているとすぐに悟るのです。ストラムは慎重に動きます。色眼鏡を外します。ヒヒを分け隔てる紛争には介入しません。また，自分の服装の特徴は重要ではないことも分かっています。空間の占有こそが重要なので，どんな場所を占めるか，そこでどう身体を動かすかといったことです。この仕掛けでは外観は二次的なものになります。彼女はある地位を占有したいと欲しますが（これは友だちになるための前提条件です），それを保有したいとは思いません（そうなると自分が望まない上下関係に戻るからです）。彼女は，種間の友情の鍵を，一方と他方の相対的な状況（配置）の微妙なたわむれの中に見つけます。そうは言っていませんが，自分が女性であることは，間違いなくグループへの参入において無視できない役割を果たしています。友情は何よりもまず事実上の雌の生き方なのです。雌の友情はよく見かけられます。雄と雌を結ぶ友情は偶発的なものです。そして，ヒヒの間で，雄間の友情はほとんど存在しません。

拡張された主体は，文字どおり空間化するなかで深化され，個別化されますが，空間のあらゆる幾何学的法則には反しています。そのことは重要ではありません。比喩には表面がありません。たった一枚の支えの表面だけ。フェリックス・ガタリは，主体性を理解するには，その主体性の力学を，社会，宇宙，植物，動物などの外部性の文脈に位置づけ直す必要があると述べています。したがって，根源的な政治問題が，それにふさわしい力強さで提起され，環境，社会，主観の三つの生態学を通じて理解されなければなりません。来たるべき変革は，まず自己のさまざまな資源に関係し，その「感性，知性，欲望の分子レベルの領域」[10]を忍耐強く詳細に決定する必要があります。自己は，個人と集団の境界，またはより正確には，複数の

10　F. Guattari, *Les Trois Écologies*, Paris, Galilée, 1989, p. 14.

個人と複数の集団の境界で発達します。私たち一人ひとりは複数であり，根本的に異質な複数性の中で構成されています。『太陽がいっぱい』で有名な米国の作家パトリシア・ハイスミスが，そのような状況は死に到るまで続く可能性があることを説得力のある方法で示しています。

彼女の中編小説『カタツムリの観察者（*The Snail Watcher*）』で，しがない事務員のノッパート氏が自分のアイデンティティや個性を，自宅の閉ざされた部屋で飼っているカタツムリに少しずつ広げ，そしてどのようにカタツムリのために死に到るのかがよく書かれています。この部屋は，その特殊な内装同様，非常に重要です。「2階のノッパート氏のオフィスに最初のカタツムリの水槽を入れてわずか2か月も経たないうちに，30個の水槽とボウルすべてにカタツムリが群がり，壁に連なり，机の上や窓の縁でじっとして，そして床まで覆い始めた。ノッパート夫人は強く反対し，再びこの部屋に入ることはなかった」。人間と動物に拡張されたアイデンティティの形成に果たす空間と物の具体的な役割は，この英作家の中編小説でよく示されています。

しかし，この小説の筋書きにはむしろバロック的な要素が含まれています，つまり，知識の欲望（古代人の有名な *libido sciendi*）がアイデンティティの拡張に果たす重要な役割です。ノッパート氏がこの腹足類に夢中になったのは，「普通の性行為」に専念している2匹のカタツムリを偶然目にしたからです。ついでに言うと，この知識は私的な知識です。「ノッパートは，少なくとも正確な説明が，参照したどの百科事典にも，動物学のどの本にも書かれていないような光景の目撃者だった」。ノッパート氏はこうしてカタツムリに関する一流の専門家になります。ほかの人々がこれについて情報不足であることを考えれば，難しいことではありませんが，ただノッパート氏は周囲がカタツムリについて何も知らないということすら，もはや分からなくなっていました。熱心な勧誘というのは，他人の中に欠けているものがあると感じ，やや押しつけがましい気遣いでその不足を取り戻してあげようと試みる人々の活動のことです。個人的な知識を隠しているわけでもないのですが，いざぶちまけられてみると，すでにカタツムリに詳しい幸せな数人の一部を除いて，不快感を引き起こします。「彼は友人や訪問客に，カタツムリの生物学を説明する。魅了される人もいれば，多くはショックを受ける。あげくの果てには，妻が困って身もだえするのである」。ノッパート氏の熱意が激しさを増すのは，カタツムリとの付き合いに，さらに美的，官能的な深い満足感が伴うからにほかなりません。「ノッパート氏はよく人差し指にカタツムリをよじ登らせる―カタツムリが人間との接触を喜んでいると想像し，手ずからレタスを一口与え，すべての角度から観察するのだが，他の人なら浮世絵を鑑賞するのと同じくらいの美的満足をそこに見つけるのだ」。ノッパート氏は最終的には息苦しくなって，心理的に締め上げられたようになります。友情は必ずしも開花するものとは限りません。あなたのためによかれと思って，却って虐待するような友人は，似たように度を越す母親の数と同じくらいたくさんいます。

3. アダム・スミスは，人間と動物の違いは動物間の経済学の欠如に帰着すると考えました[11]。誰にでも思いを寄せる意中の動物というのがいるものです。この著名な英国の経済学者が書いているように，私たちは犬が骨を交換するのを見たことはありません。しかし，本当に注意深く見たでしょうか？　スミスの決めつけは，行動学と比較心理学の最近の発見（なかでも，後者では偶然ではありません）によって微妙に変更される必要があることはさておいて，提起された問題は，スミスが言及する経済学の単純な問題よりもはるかに複雑です。

交換とは何でしょう？　ここには基本的に二つのことがありえます。ある人が所有しているもの（私有財産の存在を想定しています）を交換することと，あるいは特別な方法でしかアクセスできないもの（品質や専門知識などがそうでしょう）を交換することです。この著名な経済学者が信じていることに反して，動物は多くの物を，しかも多くの方法で交換します。さらに，一番気前の良い動物が，必ずしもごく自然に思い浮かぶ動物ではありません。チスイコウモリは，協調的で複雑な形で血液を分かち合う最も利他的な動物なのです。〈歴史〉の驚くべき皮肉というべきでしょう。ただしここでは歴史といっても自然史ですが，人間とコウモリの間の予測不能な行動の類似性を明らかにしてくれるのです。

かかる交換の手続きには，私的空間と公的空間がなくてはなりません。素朴な形であれ，動物にもそれに当たるものが見られるのでしょうか？　ここでも，底意地の悪い応答をしてみても，問題を十分に説明できません。動物の行動は，このような 18 世紀政治哲学のるつぼの中でつくり上げられた，そうした問題枠にはおさまりません。西洋人は他の被造物との関係でおのれの性格づけをするわけですが，そのとき実は動物は依存するカテゴリをたえずずらしているのです。野生動物は，そこに近づくことが極度に制限されている空間の中で進化します。巣または，巣穴。ある動物には，そこで特定の行動（狩，休息，または雌への求愛）を行う権利のあるなわばりがあります。それだからといってこれらを私的領域と呼べるでしょうか？　これが厄介なことがもっとはっきりするのは，このような私的領域に対立するものが何かを考えてみるときでしょう。それは公的領域でしょうか？　まだここ

11　A. Smith, *An Inquiry into the Nature and Causes of the Wealth of Nations*, 1776, I, 12.

でも多くの困難があって慎重にしなければいけません。動物全体が使える公的空間は，そのグループの一部（とくに兄弟姉妹）が自由に入ることができる世界と同じではありません（子どもは母親の所有物でしょうか？）。ある鳥が巣を造営するために要する工夫と，その巣への接近を禁止するためにとられる戦略を見ると，私有財産が経済学に先行して存在することが理解できます。

友人を定義するためにより適切な別の方法で，私的空間を特徴づけることができるでしょうか？　できると思います。私的空間とは，親しい者のみが入ることができる場所であることを示唆すればいいのです（または，そこに入る人が親しくなるような空間と言ってもいいでしょう。これは思っている以上に同じことなのです)。そしてまた一方で，そこは自分自身も拡大できる場所なのです。私はすでに最初の点を十分に述べたので，第二の点に焦点を当てようと思います。

4. グドールやフォッシーのような霊長類学者やガードナーたちのような心理学者が，大型類人猿を，感情をもち，理性に支配されて動く「個体」と考えたので，私たちの動物に対する見方は大きく変わりました。私はこう主張したいのです。つまり，動物に名前が与えられたのは，「人」になったからではなく，個別化され，命名されたからなのです。ジェーン・グドールは，毎日観察しているタイの森のチンパンジーとの親密性が増してくるに従い，チンパンジーたちに名前を付け，それぞれに性格を当てはめ，人間的な感情を認めることとなる次第を巧みに語っています。これは学界ではきわめて激しい否定的な反応を引き起こしました[12]。これら一部のチンパンジーたちが個体としての存在でありうるという考えは，ジェーン・グドールが霊長類と確立した関係が非常に温和で非好戦的であったことから生まれたことです。

一部のアングロ・サクソン系の人が婉曲に述べているように，「非人間的人間」の概念は，ただそう言われただけでは，煙のように不明瞭な考えのままです。「人間的人間」の問題も，その適切性を疑う人がいなくても，常にあいまいです。どちらも，もう一度考え直すことが必要です。この問題を達成するための勇気，強さ，知識をもつプログラムは印象的です。私たちは，アイデンティティというものの重要な物質的基盤と，友好的な近接性を確立する過程における，相互の継続的な流出を真剣に考えることから始める必要があります。まさしく動物，もちろんそれだけでなく，人工的器官，身近なもの，特権的な空間，友人など，人間の概念というものをすべての拡張機能を含めて再概念化することが急務になります。

12　J. Goodall et P. Berman, *Le Cri de l'espoir, op. cit.*, p. 79-80.

　では，何もまとっていない裸の人は人間でしょうか？　ここでのヌードの問題は，衣服の問題というものをはるか超えています。その人の関係全体と機能の様式，その体と心よりもその人の人間性をよりよく特徴づけるからです。したがって，人類中心的で歴史的な生き物へのアプローチを展開する必要があります。このアプローチは，三つの定言的命令によって構成されています。1）生き物を保護せよ，というのは，生き物こそあなたの意識が生まれて成就する最も豊かな組織をつくり上げているからです。2）生き物とのつながりを豊かにせよ，それがあなたの意識を刷新するための意味と能力の並外れた空間を形成するからです。3）最後に，生き物の世話をせよ，というのもそれこそが人間の本質的な存在論的責任に関わるからです（これがノアの箱舟神話のメッセージの意味です）。神の死とマルクスの解体の後，動物こそが人間に意味を見つける最後の可能性です。この探求は，特に人類の主要な義務としての生き物の保護という形を取り，そのついでに，最も自由な，あるいは自由であると思い込んでいる知識人においてすら依然として健在である基本的な神学的カテゴリを復活させるのです。しかし，この探求は，友だちと呼べるようなこれらのすべての他者との積極的で意味のある近接性を取り込みもするのです。人格は友情の条件ではなく，その結果です。とりわけ私たちが，身近な動物に愛着があるからこそ，かれらは人になることがあるのであって，逆ではないのです。

　西欧社会ではこの考えに到るのに長い道のりが必要でした。大部分の動物たちは，都市の中に無数に住んでいるにもかかわらず，面白いことに非合法の存在なのです。そこでは，往々にして動物は受け入れられるというよりは，大目に見られているのです。私たちはこれらの動物が存在しないかのように，考え，振る舞っています。どんな政治家が，動物たちはペットであるのみならず，市民権があると主張できるでしょうか。『道徳と宗教の二源泉』を著したアンリ・ベルグソンは，人間社会を「自由な生き物の集合体」として定義したとき，興味深い研究の方向を打ち出しました。彼にとって，「本能」に基づく動物社会と「習慣」に基づく人間社会を対比することは非常に重要なことだったのです。ただし，両者の対立関係を際立たせることはなく，ニュアンスを加えていますが。というのも本能は明らかに人間社会にもよく見られますが，ベルグソンは逆説的に，それを「習慣を設ける習慣」と言っています。しかし，この本能は，もはや本当に本能であるとは言えず，むしろ「その力強さと規則性の両方の点で本能に匹敵する力をもった習慣である」と言うのです。しかし，ここで問題になっているのは，「自然の掌から生まれて間もないような人間社会」です[13]。原始的で初歩的な社会です。さらに，ベルグソンは，原

13　H. Bergson, *Les Deux Sources de la morale et de la religion*, *op. cit.*, p. 21.

始的な人間社会は私たちの社会よりもアリの社会に近いと明言しています。この哲学者は実りある展望を開き，芸術，科学，より一般的に言えば文明を呼び起こす新しい感情を生みだす可能性があることを示唆するのです。そのような感情は，社会を構成するにあたり，非人間も考慮に入れることで，重要な社会変革を促すでしょうか？

人間社会においても，「社会生活を目指すある意味で有機的」傾向はもとのままの形で残っています。しかし，これは道徳の前半部分だけのことです。というのも，後半部分があるのです。これは「自然の計画にはなかった。自然は知性による社会生活のある程度の延長ということしか予定に組んでいなかった」。人間の知性は「社会の連帯を人間の友愛に拡張する」ことで，「知識はあるが純朴な」自然をごまかしたのです[14]。それならなぜ，せっかくの歩みを途中で止めてしまい，生き物全体を「責任と連帯の圏域」に取り込んで，またしても「自然をごまかす」ことをしなかったのでしょうか。これらは当然のことながら，ベルグソンが決して持ち出すことのなかった仮説です。たとえば，「生活の安定への必要のもとには推進運動の欲求が存在する」可能性を想像したり，本能と知性は「つまるところものの見方」につきると考えたりしているのです。動物社会と人間社会の連繫は，ベルグソンにとってほとんど考えられないことです。人間と動物を分離する先験的な二分法を通して常に問題に取り組み，対立関係を弱めるよりはむしろ強調しようとする人ですから。昆虫の社会，特にアリに彼が最も注目しているのはおそらく偶然ではありません。彼は，人間社会の可塑性，そこでは人間は「前もって形成された機能」に従って行動するのに対し，昆虫の社会の可塑性，そこでは動物の行為主体は「前もって形成された行動」をもっているとして，両者を対置させています[15]。特に，昆虫の社会は安定した秩序のように見え，人間の社会は変化し続ける進歩のように見えると結論づけます。昆虫社会はベルグソンにとって必ずしも効率的でないわけではありません。さらに人間社会を凌駕する大きな利点もあるのです。それは安定しているということです。知性は常に社会的結束を脅かすものです。そこから重要な疑問が生じます。なぜ人間社会はより頻繁に爆発しないのでしょうか？　それは，作話作用（ベルグソンが『道徳と宗教の二源泉』で導入した概念）のおかげだ，とフランスの哲学者は答えます。この機能は知性に対して釣り合いをもたせる本能の残りをつくり出し，宗教の中に見つかるのです[16]。

しかし，ベルグソンは，人間社会という概念や人間社会が非常に大きな強い感

14　*Ibid.*, p. 55.
15　*Ibid.*, p. 110.
16　*Ibid.*, p. 124.

情をもって種間の冒険を始める可能性におけるこの作話機能にはまったく興味がありません。それは，特定の動物が特定の人間に向かうというのは，動物のなわばりが，ほとんどの動物行動学者がいまだに信じているような，もっぱら物理的な実体ではないためです。動物は，特定の人間によって精巧につくり上げられた「私的な空間」に組み込まれます。その空間を介して動物は自ら拡大するのです。人間との接触により，人間の世界に自分自身を巻き込むことで自分自身をなわばり化することが可能になり，最も強力ななわばり化は種間の友情という形をとる非常に強い感情的な愛着につながるのです。

7章

友だちの死

その人について物語ることができる，そういう人の人生には，終止符を打ったと見なすことができるその人ならではの特徴があります。とりわけ完了できることです。潜在的な終わりがあるということです。語ることのできる人生がある人は死ぬことができます。ただ消えるだけではありません。その人が死ぬことができるのは，その人の人生が持続の一貫した流れの中で停止するからです。すべての死はそのほとんどが尚早で注目に値する少数の例外はあろうとも，私たちはいつも早すぎる死をむかえます。適切な時を見計らって死ぬことは，至芸と申せましょう。これは動物にとっても同様です。その生涯と行動する主体に関する物語を混同しない限り，動物は死ぬことはありません。これはアンリ・ベルグソンにはよく分かっていたことです。動物によっては疑いなく生者と死者を区別することができます。両者の動きや，行為や，態度は明らかに異なっているからです。にもかかわらず，動物には「死の根本的な観念」がありません。ロボットも同じです。スティーヴン・スピルバーグの映画『*AI*』（人工知能）で，「スーパー・トイ」のデイヴィッドは，お母さんは死ななければならないのかと，「母親」モニカに尋ねます。でもこの概念は彼にとってまったく意味がないことは明らかです。モニカが肯定すると，彼は心配そうに，さらに聞きます，あとどのくらいの時間？　彼女は言う，「分からないけど，50年」。彼はロボットの熊テディに「50年は長いの？」と尋ねても，テディは「分からない」と答えます。

友情の問題を論じるに際し，二つの理由で死の問題は独立の章として扱うことにします。第一に死は友情のきわめて明確な限界であるということです。友人が亡くなった時に友情は消えます。第二に，友人の死は，「死はいつも他者のものだ」というサルトルの考えを否定します。友人の死は，誰もが断片となって死ぬことを示しています。動物が他の動物の死を経験するかどうかは，今後の大きな課題であり，その解明が行き詰まっているのは，動物の能力云々よりも，現代の動物行動学の限界に起因しているのです。

死は，動物の心の中には決して存在しませんが，動物の身体によって演じられることはあります。危険な捕食者から逃れるために死んだふりをする動物がそうです。同じような理由で動物は自殺しません。ある日，アーネム動物園で古人類学者パスカル・ピクは，チンパンジーの自殺を目撃したと思いましたが，しかし問題は彼が考えているより複雑です。虐められたチンパンジーが可能なすべてのことを試したのかもしれないし，パニックのなかで障害物を見誤ったのかもしれません。このようなありきたりの説明というのは面白くありませんが，しばしば真実なのです。ヘーゲルは次のように述べています，「私は自分の手足や生命を思うがままにできる。動物は自分を故意に傷つけたり，自殺できない。しかし人間は違う[1]」。動物は，自分が死ななければならないこと，死ぬことができることを知りません。ある日それを知ったとして，それが何の役にたつでしょう？　この章で提起された問いは，何が友人と死を結びつけるかということです。その死が起こりうる可能性の地平に決して姿を見せなくても，友人はまだ友人でしょうか？　確かに，友情に対するモンテーニュの素晴らしい反省録の大部分が，失った友人であるレイモン・スボンについてであることは偶然ではないのです。

実際に，私たちは，動物が死というものについて何を知っているかはほとんど理解しておらず，現実の死に対する行動も理解していません。霊長類学者のクリストフ・ベッシュは書いています，「多くの書き手にとって，死の観念は人間の抽象的な思考の複雑さを反映しており，我々は先祖に死霊崇拝の最初の手がかりを見つけると魅惑されるのだ。しかし，動物にこの観念がないことは，まだ明らかになっていない。なぜなら，そのような状況に置かれた動物の行動をあまり知らないからである[2]」。ベッシュは二つの例を述べています。1989年3月8日，象牙海岸のタイの森で，ヒョウに殺された若い雌のチンパンジーの死体は，注意深く調べる十数頭の仲間に囲まれています。1頭は死体の手を揺さぶります。別の1頭は，他の2頭の優位雄とともに，長い間死んだ体の毛づくろいをします。ベッシュは，死んだチンパンジーに対するこの長い驚くべきグルーミングが，雌の生前には行われたことのないものであることに気づきます。この3頭の雄は，特に死体の完全な姿を保つために，6時間も死体を護ります。他の若いチンパンジーと劣位のチンパンジーは，

1　G. W. F. Hegel, *Principes de la philosophie du droit*, trad. A. Kaan, Paris, Gallimard, 1940, §47.
2　C. Boesch, « L'homme, le singe et l'outil: question de cultures? », *in* Y. Coppens et P. Picq (éd.), *Aux origines de l'humanité*, Paris, Fayard, 2001, t. 2, p. 197.

円を描くように等しい距離に遠ざけられたままです。死んだチンパンジーの弟は唯一の例外です。雄たちはまた，死んだ雌の目と耳に産み落とされたハエの卵を払い落とします。雌が単に傷を負っているだけだと思っているのでしょうか？　もしそうなら，傷の血はなめられていたでしょう，それは観察されませんでした。別の説明を探す必要があります。たとえば，非常に強い愛着が生活上の出来事によって突然消し去られたことに対する儀式のようなものかもしれません。ベッシュが書いている別の例は，もっと理解が困難なものです。それは1991年3月23日に偶発事故で死亡した2歳の若い雄の例です。その母親は優位雄の助けを借りて，3日間腐敗が進む死体を持ち歩きました。ベッシュは次のように結論づけています。「もしチンパンジーがある種の死の観念をもっているならば，これらの行動には意味がある。そうでない場合でも，やはり心を乱される[3]」。

チンパンジーだけがこの問題について私たちに疑問を投げかけるものではありません。ゾウの観察においても同様に考えるべき問題に出くわします。ケニアでゾウを長年研究していたジョイス・プールは，同種の死体と遭遇したときのゾウの行動についていくつかの注目すべき説明をしています。「グループのうちの1頭の死に対する反応で，非常に神秘的で感動的なものがある。最も難しいのは彼らの沈黙である[4]」。プールは彼らの間の非常に独得な行動に心打たれました。彼らは通常は敵を殺したり押しつぶしたりするための武器として前肢を使います。後ずさりする時には後肢を驚くほどの繊細さをもって動かし，その後肢で赤ちゃんや死んだ個体に軽く触れます。ゾウの死体との関わり方は，プールを深く感動させ，また，ある種の行動はときには彼女にある種の不安を起こさせます。たとえば，彼女が収集していた顎の骨を探しにゾウが夜にキャンプまで来たことが分かり，その後，少し離れたヤシの木の下にその骨を見つけた時などがそうです。ゾウが自分の家族の骨の近くで1時間静かに立っていたときも，同じです。ゾウが思考し，意識的な思考さえするのではないかと，なぜ考えないのだろう，と動物行動学者は書いています。単純な，あまりにも単純な説明が常に実証主義者から提案されますが，それらは数分も精査に持ちこたえられません。これは，ゾウが他のどんな種の動物の死体のそばでも見せる習慣的な行動でしょうか？　ところがシマウマの死体に遭遇したときに，なぜこの行動が見られないのでしょうか？　より適切な用語がないので，「喪」と呼ぶしかないこの行動は，最初から人間の行動との関連という先入見を排除したうえでも，実際にはこれらのゾウに限られている行動ではありません，……そして人間だけに限られるものでしょうか？

3　*Ibid.*, p. 197-199.
4　J. Poole, *Coming of Age with Elephants, op. cit.*, p. 159.

ジャン＝ポール・サルトルは，私たちが他者の死を経験するだけであるのに，自分自身の死は自分の実存に意味を与えるものだとすでに確信していました。動物にとって，その死を経験してくれるのは，むしろ他者とりわけ人間で，動物のために葬式を営み，特別な専用施設での遺体の埋葬または火葬を行うにまで到っています。「小さな猫は死んだ」とはモリエールの喜劇『女の学校』で聞かれる科白です。

闘牛は，おそらく人間が想像する動物の死の最もショッキングな演出です。別の言い方をすれば，動物の死は，いかなる場合においてもその実存に意味を付与するものではありませんが，ある特定の文脈においては，この動物の死が私の実存に意味を与えると言えなくもありません。私の死が私の実存に意味を与えるのと同じぐらいにです。人間と動物との相互の愛着は，動物の死を人間にとっても意味ある出来事にします。したがって，死は，特定の人間が特定の動物に対してとる極端な愛着の表現様式になるのです。逆のケースは事実としてはっきりとしていません。もし人間の死が，動物の生活に深刻な混乱を生み出すにしても，それは必ずしも死としてではなく，不在や放棄として認識されます。人間は，他の人間の死との比較を通して動物の死を経験できますが，かたや動物，たとえば犬は，別の犬の死や自分自身の死を通して伴侶である人間の死を経験できません。ここで問題なのは類推であって，擬人化は関係ありません。人間は動物の死を人間の死から類推することで経験するでしょうが，逆に動物には同じようなことは決して起こりません。動物は他の動物の死から類推することで人間の死を経験することはできず，できるとしてもたぶん他の動物の消失からの類推を通してです。人間が動物における死の現象を分析するうえで経験する大きな困難は，人間が，死が表象するものの本質と実際に死に結びつけられる感情とを確定できないままで，死というものがある種の動物にとっても重大な出来事であるという確信をもつことから来ています。

8章

人工物との友情

生き物だけが友人であったり，友人になったりできるわけではありません。ある種の人工物は，友情の空間に入り込むことができます。生き物だけに限定されてはいないのです。一見衝撃的であっても，この見解には考えられる以上に一貫性があります。私たちが一般的に「友情」と呼んでいる厄介な問題の争点につながっています。ペットとどんなものであれ機械とを分ける多くの理由がありますが，この最初のご立派な確信は徐々に崩壊しています。なぜなら，私たちが人工物に引き寄せられる厄介な理由は，動物に近づくときの動機と同じだからです。この場合，私たちがどちらに対してももつ感情という観点から，機械や動物を対立させるのは少なくとも行き過ぎでしょう。なぜなら，私たちは生き物との間で取得したのと同じように，人工物との豊かな関係をもつことができるからです。

この最後の章では，種間の友情が人工物にまで及ぶ可能性について考えます。機械と友だちになれるのでしょうか？　このような問いは，友情の論理学についての考察の枠組みとして意味をもちますが，友情の心理学としては何もありません。論点は二つです。特に，たまごっちとアイボが大流行した後では，人間がその心理的信念とは無関係に行動してしまう傾向を問い直すことが重要です。ある種のロボットは，感情を司る神経系がないことが分かっているにもかかわらず人を魅了します。この現象の心理学の論理と友情の論理の妥当性を確かめるために，人間との種間の友情において，動物の側がもつ友情の「生理学的な対応物」が何であるかを考え直す必要があります。それはこの現象の心理学的関心を否定することではなく，今日無視されている別の問題を再確認することです。生き物と人工物との間で避けがたい特別な親近性が生まれますが，これは本物の友情でしょうか？　これまでのページでは，そのような問いは意味がないことを示しましたし，友情を人工物に拡張する基本的な意味を尋ねることの方が有益でした。本物という概念は，この上なくロマンティックなもので，議論を明確にするどころか，混乱させてしまいます。では機械と友だちだということはどういう意味でしょうか？　この問いには明確な答えがあります。動物の場合と同じです。

> この章は，1章で述べた動物－機械論者とその反対論者の間の論議の重要性を完全に相対化することになるのです。動物の本質は，動物の存在自体ではなく，私たちが活かそうとしている友情のさまざまなあり方に影響を与えることができるのです。

まずは準備として第1章のデカルト主義へ戻る必要があります。動物－機械論を擁護したデカルト主義者は，動物を理解するための実験の重要性を強く主張しました。たとえそこから理解が効果的に得られたのではなく，得られるという夢だったとしてもです。理由がなかったわけではありません。実験の状況は，非常に貧しく，そのうえすべての意味が欠如している空間に動物を事実上配することによって，動物をすべての生態学および意味ある環境から切り離すことになります。与えられる刺激に反応しやすい位置に動物を拘束するというのが，求められている正しい環境なのです。したがって，当の動物は，機械として振る舞うだけでなく，罰を与えられないように反応しければばならないような状況にあるのです。パヴロフやアングロサクソン系の行動主義者に見られるような古典的な実験法は，動物に機械になることを強制します。動物を「知る」ための機械化に反対することは，それゆえ動物についての別の見方を発達させるために不可欠な前提条件です。この立場は倫理的であるというだけではありません。さらに認識論の問題でもあります。研究される前からいわば分解された動物から，何を本当に学ぶことができるのでしょうか。動物の生命を機械の機能に同化させる際に，現代の実験者は動物を機械と見なす不幸なメタファーを身につけるだけではありません。認識論的な観点からは敢然と不毛の地に乗り出し，倫理的な観点からは袋小路に入り込むのです。動物の生命は，機械とはまったく異なっています。なぜなら動物の生命は，意味を解釈する記号論的行為主体の本物の生命であるのに対し，機械とはまず刺激の下で動き，情報処理を行う自動的な人工物の存在の模造品だからです。少なくとも今まではそうでした。というのも機械が機械であるから生命をもたないのか，あるいははじめからそういうものとして構想されていたのかどうかについては，まだ満足のいく答えは得られていません。

1. 本書の第1章で，いかなる場合でも，動物を機械に同化してはならず，さもないと厳密な論証に耐えない誤った推論を論拠にすることになるということを見てきました。逆の態度はさらに問題があります。私たちが今日目にする動物化された機械のなかには，しかしながら人工物と生命とを隔てるギャップをはっきりと埋めていくには十分なものもあります。動物機械は，私たちが永遠不滅の真理と信じてきた境界線を曖昧にします。あるいは確固とした境界に穴をあけます。動物が結局は機械であると分かるケースはほとんどありませんが，逆に機械によっては動物化するものがあることは間違いありません。人間は新しい動物を発明するわけではありませんが，人間には動物とともに行動するときのように，ある程度イニシアティヴがとれる特定の人工物となら，一緒に行動したいという思いがあります。私たちが動物とともに築き上げたい関係を探求し，明確にすることで，同時に私たちはこれらの惑乱を招く機械とともに築ける関係を決定するのです。これらの問題は取るに足らないものなどでは決してありません。それらは意味を生成する人工物というものの私たちの文化における地位を決定するものです。とりわけ私たちを魅惑して止まない機械，たとえば（部分的に）自立していたり，（すくなくともある程度まで）適応できたり，（きわめて稀ですが）自己複製できたりする機械の地位と，私たちがこの機械たちに与えようとしている場所とを決定するのです。これらの人工物は，昔から機械にあるとされる道具としての機能ではなく，むしろ人間との親密な関係に必要な時間の継続というものをもつので，人間にとって特に魅惑的に見えます。私たちが連繋する動物は，私たちに最後のチャンスを与えてくれます。それは，友情，知性，人生の喜びに向かう精妙な生き物であるという最後のチャンスです。生きる前からむしろ死んでいるというような，冷たい有用性をもった高性能な創造物ではないのです。特定の機械の動物化は，おそらく私たちが人工物とより豊かな関係を築くように私たちを導きます――そして，反対に私たちが寄り添っている動物，どんな犠牲を払ってでも守らなければならない存在である動物の豊かさと価値を十全に自覚するように促すのです。というのも動物のいない未来は砂漠でしかなく，動物は来るべき機械の存在条件となるべきだからです。

2. 生命とは生き物のなかで生き物のために確立されたものです。機械は確かにそのような生命を獲得することを主張できません。と言うのも，機械には生命がないというのが根源的な理由です。せいぜいのところ，私たち人間が決定的に重要であると見なすような生命の兆候を機械がわずかに示すことがあるという程度です。生きている機械は，言葉の厳密な意味での技術的な問題と同じくらい，心理的および文化的な現象です[1]。これらの機械は，それだからといってより良い，より深遠な人生の追求を邪魔するものではありません。人間は機械を使用して，おのれ自身の生活の正当性を高めることができます。ただし，機械との不毛でまったくの道具的な

1　D. Lestel, L. Bec, et J.-L. Lemoigne, « Visible Characteristics of Living Systems: Aesthetics and Artificial Life », *in* J.-L. Deneubourg (éd.), *Self-Organization and Life: From Simple Rules to Global Complexity, Proceedings of the European Conference on Artificial Life*, Brussels, 1993, p. 595-603.

連繋ではなく，実りある連繋を確立することが条件です。しかし，人工物とのそのような関係は，かなり問題を含んでいますが，だからといって排除されるものでもありません。

デイヴィッド・ソローは，より人間的であると考えられていた自然主義の名の下に，人間の機械への隷属を拒絶した最初の人たちの一人でした。ソローは言うのです。機械との軋轢であるあなたの生活を止め，あなたの文化に対して自然になり，動物，植物，大気現象と一緒に真の人生に戻ろう。ソローは過激な自然主義プログラムを擁護しました。自然さを求め，人工性を拒否し，人間に機械のイメージに倣って行動することを強いる，人間性を疎外するような機械と戦うように呼びかけました。「人間は自らの道具の道具になってしまった」[2] と彼は書きます。

ソローが別の言い方で表現したアイディアによれば，「私は，人間が羊の群れの番人であるというよりはむしろ，羊の群れが人間の番人だと考えるようにしている。羊たちは人間よりは自由だから」[3]。大筋のところで，このソローの思想は1世紀後のアドルノの精神にも影響を与えました。世界の産業化と偽りの価値の高まりに対抗して，真の生活に戻りましょう。この真の生活なるものを昔の生活とは別のものとして定義することができないので，この戦いは最初は抵抗として現れました。今では，こうした闘争は興味を惹かず，有効でもありません。

機械を拒否することは，もう時代遅れなのです。逆に機械に対して異なった振る舞いをすることが重要です。「自然へ還れ」プロジェクト，あるいは同じことですが「本物の生活」は，非合理な怖れに立脚しています。保守的で優れた神学者のサミュエル・バトラーが，寓話『エレホン』の中で見事に表現しています。機械が反乱し権力を得るという話です。機械に囲まれた中で「本物」の生活は不可能でしょうか？　はい，もし私たちが真正性，本物性を，戻るべきある過去の価値観や生活様式の固守であるとして特徴づけるならば不可能でしょう。しかし，私たちはむしろ「本物の」人生を，豊かさと意味に満ちた生活を通じて未来への扉を開く可能性として見ることができます。この場合，人生は，人工物には到達不可能ではあっても，人工物とともにということであれば構築することができます。そして，動物と一緒でもこの本物の人生は構築可能です。動物との関係で，その内容が理想を忘れず，プロジェクトが起動可能である限り，それは可能なのです。

ソローの視点には，本物の生活を，不満足という逆の立場から考えるという欠陥があります。より肯定的な態度はより創造的な展望を開きます。一方に自然，もう一方に機械をおいて考えることは，考えを単純な二分法に組み込むということで

2　D. H. Thoreau, *Walden ou la vie dans les bois*, Lausanne, L'Âge d'homme, 1985, p. 35.
3　*Ibid.*, p. 50.

す。私はピノキオを理解したいのです。この魅力ある人工物は，多少とも推奨に値するさまざまな動物と協定を結び，人間に対する自分の個性を確立しようとしたのです。おそらく，この注目すべきストーリーの作者であるカルロ・コローディの才能の最大の功績は，人間の背後にある機械と動物性の間に思いもよらないほどの協調関係を想像したという点でしょう。そして，ある日突然，動物たちが機械の仲間を人間の仲間よりも好んだとしたら？　そして，人工物の究極の裏切りが，私たちから動物の仲間をこっそりと奪うことであったら？　私たちはまさに風前の灯なのです。ピノキオを読んでいて浮かび上がる恐怖がありますが，この表現は額面どおりのものです。

　動物の生活は，疑いなく，たとえどれほど完成された人工物の模擬生活と較べても本物ですが，しかしこの存在論的差異が，人間が両者ともちうる関係の中でどこまで重要であるかという問題はこれから取り組まれるべきなのです。私たち人間が豊かで満足を与えてくれるような愛情関係をもちうる相手は，本物の生活を送っている行為主体だけであって，それ以外のすべては除外されると考えることが，かりに正当化されるとすれば，それは余分な枝葉を切り捨てた荒っぽい総括でしかありません。

3. ロボット工学の最近の進歩により，人工物と自然物の空間について，両者の関係は明らかになるどころか，混乱が高まっています。工学者グレー・ウォルターが1948年のイースターと1949年のクリスマスの間に2体のサイバネティックカメのエルマーとエルシーを発明したとき，人工のペット動物が実際に登場しました。このイギリス人エンジニアがこのタイプのロボットに付けた名前であるマキナ・スペクラトリクス（*Machina speculatrix*）は，古い腕時計の歯車を使って作られました。モーターがロボットを動かしているときに点灯するランプは，ロボットの内部状態を示しています。ウォルターは複数のロボットを鏡の前に置き，それが自己の認識と自らの属する種のメンバーを認識する行動につながったと，少なくともウォルターはそのように説明するのです。英国のエンジニアはエルシーを非常に女性的な気質によって特徴づけました。エルシーはひどく不安定な気分に悩まされているというのです。それに対してエルマーは非常に安定した，ブルジョア風な行動をとって，椅子の下で安らいでいます。

　これらの先駆的な技術的実験と同時代のジャン・ロスタンは，当時発展し始めた新しい人工物が人間というものの表象を大きく変えようとしていることをよく理解していました[4]。このフランスの作家で生物学者でもあるロスタンは，20世紀の終わりに現れる，動物性との関係を実質的に大きく変える新しい機械の登場を予想していました。人間と動物を結ぶ対角線の愛情を強く唱える生活様式を発明することが，私たちはたぶん自分たちの社会を機械との純粋に機能的で，それゆえ健全な関係に与させ，その関係を生物そのものを構成している情熱の中に組み入れることができるでしょう。

「愛情のこもった機械」の問題は，感情を生み出す機械の問題というより大きな動きに包含されています。この技術的アプローチは決して新しいものではなく，むしろ技術プロジェクト自体の中核に組み込まれるのです。機械の歴史家は，フェティシズムの対象物や他の人間化された人工物の歴史を無視するという間違いを犯しています。古代エジプトでは，動く人工物との感情的関係と呼べそうなものをすでに非常に重要視していました[5]。生命があるということの質は，ここでは形態上の特性によってではなく，人間固有の感情を呼びさます能力によって表現されています。この観点からすると，実際に生物をつくることよりも，当の人工物が生物であるかのように，人間が相互に関われそうな動くものをつくることが重要なのです。20 世紀の終わりに自律ロボット工学となるものは，当初から，生命の能力とは何よりも，生きていると認識され，共有された感情の空間に導入される能力と考えられています。

この状況は，たまごっちの偶然の人気で特に明らかになります。これらの小さな，明らかに取るに足らない人工物は，愛情のこもった機械の時代という扉を開きます。その基本的な原則は，人間である所有者がそれを半永久的に世話する必要があることです。「たまごっち（Tamagotchi）」という言葉自体は，日本語の単語であるたまご（tamago）とごっち（gotchi：ウオッチ）の縮約形に由来し，ともだち（tomodachi）とも似ています。バンダイという会社は当初，この心理的で役に立たない，滑稽な機械を日本人の若い女性用に思いついたのです。たまごっちの主な特徴は，ある種吸血鬼のように行動する存在であることでした。つまり飼いならされる生き物ではなく，飼いならす行為主体になることなのです。（仮想の）餌を与え，洗ってあげ，機嫌が悪いと叱らなければなりませんでした。1 台の機械が人間にサービスを提供するのではなく，逆に人間が機械に構わざるをえなくなる。これは初めてのことです。飼い主のためを思う仮想の友人は，まさしく専制君主でした。備えている仕組みはすこぶる単純です。その半ばランダムな動作は，非常に限られ

前ページ 4　J. Rostand, « L'homme et la science », *Peut-on modifier l'homme?*, Paris, Gallimard, 1956, p. 51-99.

5　参照。A. Chapius et E. Droz, *Les Automates, figures artificielles d'hommes et d'animaux. Histoire et technique*, Neuchâtel, Éd. Du Griffon, 1949. I. Rieusset-Lemarié, *La Societé des clones*, Actes Sud, 1999. に引用。

た数の変数に依存していて，大事にしてやると，それは「成長」し，見た目も変わります。無視されれば，それは「死んだ」ということとなります。たまごっちの成功はすぐには予期できないものでした。この既成の概念に対抗するダダイストの悪ふざけとも思われるものが，商業的な勝利を得たのです。1年で，1,300万以上のたまごっちが売れました。何百万という人々がこの生き物たちの世話をするのに多くの時間を費やしました。この主題に多かれ少なかれ関わる数多くの挿語があちこちから生まれました。「たまごっちのベビーシッター」という新しい仕事さえもが誕生しました。実際の機能をもたない電子生物に関して，これは控えめに言っても衝撃的な状況でした。たまごっちは，たまに出現するような文化上の椿事で済まされるのかもしれませんが，続いて起こる愛情豊かな機械の出現は，逆にさまざまな形に発展を約束された，より深遠な現象の兆しとして考えなければならなくなりました。

サイバーライフ社のスティーヴ・グランドによるゲーム「クリーチャーズ」も同様に，これらの感情的なテクノロジーの成功でした。このゲームも，何の役にも立たない機械と同じぐらい驚くべきものでした。誰も勝ったり負けたりしないのですから。ここでも，人間の時間を占領し，購入者に甚大な個人的参加を要求する技術の仕組みが考えられました。人間たちは，ゲームの空間で進化し，すでにたまごっちより複雑になったこれら仮想生物であるノルンたち（北欧神話で，時間を司る三女神）の世話をする必要がありました。なぜならノルンたちがコンピュータによる「囚われの身」であるには変わりはなくとも，彼女らには本物の仮想生物学と機能的遺伝学が備わっていたからです[6]。1998年2月，タイガー・エレクトロニクス社はニューヨーク玩具フェアでファービーを発表しました。ハスブロ社は，世界で2番目に大きな玩具会社ですが，これは売れそうだと感じて，タイガー・エレクトロニクスを買収し，商業的な大成功を収めました。ファービーは，色とりどりの陽気な鳥で，基本的には話す電子ぬいぐるみであることには変わりはありません。技術的には，ファービーには革新的なものは見られません。心理学的に革新的な機械なのです。たまごっちのように，ファービーは人間を感情的に追い詰めます。ファービーは一緒に遊んでやらないと叫んで泣きます。誰かが餌を与えないと，死にます。十分に関わってやらないと，正常な成熟のサイクルに従うことなく，病気になります。その上，ファービーは黙っていません。その言葉はゲームのパートナー兼飼い主が学ばなければならない「ファービー語」です。たまごっちのように，ファービーは飼い主と強い感情関係を築くために作られた機械でした。ここでも愛

6　S. Grand, *Life and How to Make It*, Cambridge, Harvard Universtiy Press, 2002.

情深い人工物が多くの「都市伝説」を生み出しました。そのうちの一つは，たとえばファービーが家族を火事から救ったことです。ファービーの技術的－解剖学的構造からすれば，生理機能の代替もあります。前面に光センサーが付いていることにより，彼は暗闇の中に置かれれば，数分後に眠りにつきます[7]。しかし，ファービーは外界との相互交渉をほとんどしません。私たちと同じ空間で「生きている」と言うにはほど遠いものがありました。

4. ポストたまごっちのレジャーロボットが，1999 年 5 月 11 日に東京で正式に登場しました[8]。ソニーがインターネット上で 2,500 ドルで販売した最初の 5,000 体のアイボは，数分で売り切れました。この玩具は，数万体販売された最初のロボットになるのです。この衝撃的な歴史は，1993 年土井利忠が役に立たないロボットの新しいプロジェクトを提案したときにまさに始まりました。そのロボットは何のサービスもしませんが，家族の中に簡単に受け入れられました。このロボットはむしろ，周りの人的環境との興味深い「社会的」相互作用を展開するのでした。その主要な機能はそこにいるということです。土井は，藤田雅博を抜擢し，この計画を担当させます。この技術者は，4 脚ロボットにすることを決めます。犬の外見は偶然に選ばれたわけではなく，論理的に思慮を重ねた結果なのです。この人工物のもつ「犬らしさ」は，家族への参入を促進し，さまざまな姿勢（立っている，横になる，座っている）と，自立して足を前後に動かす能力とがものを言います。この人工生物は，聴覚および視覚刺激に反応するだけでなく，それ自体の動機システムにも反応するものでした。実際の生き物の印象を与えるには，当然備えられるべき動き，反応，決定の自律性が不可欠であり，驚くべき技術革新，マイクロカメラなどは，プロジェクトに大いに貢献します。マイクロカメラは富士通が作成し，ロボットが環境内の対象物を認識するのに十分な解像度を与える新しい素子が考案されました。1996 年に，フレームがマグネシウム合金からスティールに取って代わりました。人工生物はそれで新たな軽さを得ることとなります。その結果，楽に部屋を移動することができようになります。事前に定義された成熟の原則と行動が強化されることによって，機械に行動上の行き違いを修正させるようにもなります。技術的特徴と同様に重要であると判断されたこの人工物の外観は，有名デザイナーである空山基，若野桂，河森正治に委ねられました。アイボはテディベアの魅力をもつハイテクロ

---

7 M. Pesce, *Playful World. How Technology is Transforming Our Imagination*, New York, Ballantine, 2000.

8 レジャー・ロボットについての参照文献。F. Kaplan, *Les Machines apprivoisées. Comprendre les robots de loisir*, Paris, Vuibert, 2005. 以下のページはこれに負っているところが多い。

ボットになったのです。

アイボの多様性は，買った人のさまざまな性格に対応し，その結果，アイボに対する感情的依存性が強化されたのです。ファンクラブは，売り出しのときからつくられ，そこではファンが集うことができ，お互いを助け合うだけではなく，ロボットへの感情の認識を強め合うことができます。アイボの持ち主の多くは，ロボットに対する友人の反応を共有し体験しています。人とペットロボットとの関係は，人間同士の関係を変えるだけではありません。ロボットと友だちになった人間は，他人との関係を大きく変えます。友好的な関係は選択的であり，必要性があり，あるいは分類し，かつ排除するという特性があります。こうしたことは最初から実験的に設計されており，この点は私にとって重要だと思われます。いろいろと問題が出てくることによって，ロボットの動作は魅力的になるからです。

AIの研究者であるジェリー・カプランは，このロボットの「機能面」ということはさておいて，もっと「面白い」ものにする必要があると言います。ロボットと交流しながらもっと喜びを感じるようにユーザーを駆り立てること，何週間も何か月も喜びを維持する手立てを見つけるべきだと言います。カプランが認めているように，それは「どちらかと言うと前代未聞」の仕様書でした。実際には，カプランは口に出しては言いませんでしたが，これらの機械は，関係を管理すべき機械として初めて構想されたのであり，何かをこしらえたり，たとえばコンピュータなどのように，機能の更新を可能にする機械として考えられたのではありません。ユーザーは，これらの機械によって「惑乱させられている」ことを理解する必要があります（表現はカプランのものです）。同時に感情的，知的，機能的である対象物の機械によってです。ロボットアイボはもはや家庭用ロボットとしてではなく，五つの基本的な本能――愛情，好奇心，運動，食欲，睡眠と六つの感情的変数――喜び，悲しみ，怒り，驚き，恐怖，そして不満を備えた，相棒であり親しいロボットなのです。

5. このように，これらの機械は西洋の技術の歴史においては新しい概念です。すべての伝統的な機械に関して言えば，たとえそれらが最も進んだ機械であったとしても，人間がそれら機械ともちえる（あるいはもつべき）関係について後験的《ア・ポステリオリ》に問うことはできます。このような問いは，伴侶ロボットについては意味がありません。伴侶ロボットは，人間の存在にとって助けになる人工物であって，何か行動するのに役立つ人工物ではもはやないからです。芸術作品は，おそらくこれらの感情的な機械に最もよく似ている人工物と言えるでしょうが，そうした比較でさえも，かなり初歩的なレベルにとどまっています。カプランは，これらの新しい機械について話し合った多数の対談者が，それらが危険であり，資源とエネルギーの浪費または子どもへの危険を引き起こすなどということについてどう判断したかをまとめています。したがって，この身近な動物の「血の通っていないコピー」は，むしろ私たちの社会における社会的絆の劣化の症状であり，社会的で感情に満ちた生活を発展させる新しい方式へと道を拓いてくれるものではないように見えます。多くの人は，ロボットが有害な状況をつくり出し，他者との正常な社会的関係が，私たちが人工物ともつことによってできる当然いかがわしい関係に置き換えられると考えていました。人間と機械の間のこれらの特権的な関係は，自然と人工の違いが従来のままであるという幻想を生み出すというのです。

ドイツの作家ギュンター・アンダースは，人間のものを作る能力とその想像力を分ける越えがたい深淵について考えていました。伴侶ロボットに接すると，この対立は具体的な一貫性を帯びます。カプランの対談者が懸念していることは，これらのテクノロジーの実際の問題とはかけ離れているように見えます。作られた物は，信頼されるためには自分が人工物であることをはっきりと示さなくてはなりません。しかし，動きの全体像から見れば，首尾一貫した動機づけられた行動として解読することができなければなりません。たとえば，その眼差しの方向といったことです。伴侶ロボットを作ることは，むしろ作品と鑑賞者の間で生じる関係を重んじるリレーショナル・アートの一形態です。なぜそこに何が何でも終末論的《アポカリプティック》状況を読み取らなければならないのでしょうか？

何よりも，本当に惑乱をもたらすものになるのは，人間が示すこれらのロボットへの愛着の能力なのです。自分の自律性の一部を放棄して，人間または別のロボットと結ばれることができる機械は，飼育され愛されたりすることさえありえます。これはひどく有害な誤解だと反論することができるでしょう。ロボットはこれらの愛着のしるしに敏感ではありませんし，またはそうであったとしてもうわべだけでしょう。そのような信念は，西洋の騎士物語にあるような一方的な報いられない愛の伝統を忘れているのです。選択的な愛着としての友情の特徴の話に戻りましょう。自分の自律性の一部を放棄して，人間や別のロボットにリンクする自律ロボットを想像する必要があります。そうなれば，その自律ロボットと一緒に親密な空間を構築することが可能になるでしょう。空間を共同して作り上げた，あるいは作り上げたという錯覚を与えてくれる場合は，その空間の力はますます強力になります。ただの錯覚だと言われるかもしれません。ですが，もっと古典的な愛着の手立てそれ自体が，私たちがかたくなに信じていることとは逆に，そうした誤解の基盤の上に構築されているのではないでしょうか？　そのような愛着の手順を踏もうとするロボットはまだいませんが，いつの日にか実現できないとは限りません。必要な技術はすでにあるのです。ロボットを訓練すれば，彼らは同じ状態を共有するようになります。どちらも飼い主が説明したり模倣したりできない行動を身につけなければなりません。複数のアイボと本物の複数の犬との相互作用に関するエニケ・キュビニーの実験は，たとえあまりにも理にかない過ぎたものであるとしても，この観点からは興味深いものです。私たちが，同時に愛情深く理解力のある犬を伴侶として選んだのは至極妥当なことです。しかし，家畜化というものを，機能上の理由から，動物の隷属技術に還元するわけにはいきません。人間は狂人であり，理性の宝を働かせて結局おのれの狂気を蘇らせるのです。人間は何かをするためではなく，集団の中である役割を演じたいがために，ペット動物をもち始めたのかもしれません。感情を伴うレジャーロボット工学の出現は，それとは知らないままに，まさに家畜化の起源に戻ることになりそうです。

6. ペット動物は，人間の特徴の一つで，友情の中核を一部形づくっている愛着依存を刺激します。私たちは他人と結びつくのが好きです。愛情に包まれて依存していることが好きです。根本的には人間の系統発生的特徴の問題でさえあるかもしれません。友だちとは私が頼りにできる友だちだけを言うのではありません。とりわけ私を頼りにする人も友人です。それは母親と子どもを結びつける関係に近い，強い感情的依存の状態を私にもたらすものです。「家庭用ロボットはその人個人の歴史の産物なのです[9]」。母親というのは，子どもと一緒にいるときの依存のなかで，自分の人生に強い意味を見つけるものなのです。この依存性は確かに生理的なものですが，何よりも感情的です。ペット動物は，人間の心理学のこの特徴である襞の中にはめ込まれています。かれらはまさしく人間の心理装置の近くの位置を占めているので，子どもの代わりをすることができます。「家族」動物も，家族の構造に取り込まれるときに，その「内部の延長」になります。アイボのようなロボットは人間の心に浸り込み，人間の基本的なメカニズム，特に感情的依存のメカニズムに入り込みます。

　アイボは，私たちの関心，愛情，関与を促し，家庭内の空間で感情的で象徴的な場所を占めるようになると，家族の一員となります。日本では人間をつくったのは決して神々ではありません。西洋の神話とは違います。日本人にとって，ロボットはまずある形の複製です。西洋の飼い主は動物を所有していますが，日本人はむしろ犬によって選ばれます。したがって，犬は世話してもらえなければ，飼い主を捨てることができます。責任はありません。家の中のロボットとの関係のあり方や

9　Kaplan, *ibid.*, p. 89.

人間と動物の間で結ばれる絆の正当性は，文化ごとに異なりますが，それらは常に，人間という種の普遍性の基となる愛着依存と結びついています。民族学者ジャン＝ピエール・ディガールは，ペット動物の家畜化の過程で，飼い主にとっては，自分の動物が発達する様子を見ることで，自分の教育者としての能力をテストすることになるという説明をし，この愛着依存を認めているのです[10]。人間と動物の信頼関係は，飼い主の教育的配慮の中で理解されなければなりません。動物が何を望んでいるか，何を感じているかを気遣い始めたとたんに，それがどんなものであろうとも，私たちはかれらの要求どおりにするようになります。これは，まさに経済的資源である農業用家畜と，飼い主の情緒的な空間にいるペット動物との違いです。たまごっちは，この人間の根本的なメカニズム上で最初に役割を果たした機械です。それは偶然であり，その成功は全世界を驚かせました。ところが，これはプログラムされた成功だったのです。精神分析家のセルジュ・ティスロンはすでに特段の正確さをもってこれを説明しています。特定の対象物との私たちの関係は，それらの厳密な功利主義的機能をはるかに凌駕しているというのです。「対象は，私たちがかれらに托したものでいっぱいになっている。それらの価値とは，その歴史的能力，その容量の結果なのだ[11]」。私たちは，機械と動物の間の比較を明解にすることができます。

家畜化された動物	ペット動物
家畜化された機械	ペット人工物

たまごっち，ファービー，アイボは，いまだ開発中の愛情のこもった人工生物のパイオニアと見なす必要があります。研究室は，既知のものと似ても似つかないイノベーションの過程にあるロボットでいっぱいです。そこでは，「息づいて」その環境に適応している地球外の植物を思わせるものや，家具などの種が見られます。新しい人工ペット動物は，私たちが知っている実際の動物とはかなり異なる場合もあります。カプランは，将来のペットロボットの変身と瞬間移動をすでに想定しています[12]。ロボットの本体は，いつでも代用が効くコンテナに過ぎません。人工物の存在は，不確定ではあっても高度に精巧な物質性の中に組み込まれています。機械には，それが存在するために不可欠な本体がありますが，それは個別化されてい

10 J.-P. Digard, « La compagnie de l'animal », *in* B. Cyrulnik (éd.), *Si les lions pouvaient parler. Essais sur la condition animale*, Paris, Gallimard, Collection « Quarto », 1998, p. 1034-1055.
11 S. Tisseron, *Comment l'esprit vient aux objets*, Paris, Aubiers, 1999.
12 F. Kaplan, *Les Machines apprivoisées*, *op. cit.*, p. 84-85.

ません。情報を共有することによって，人間と人工物の知覚空間が同様の方法で組織され，両者の生活軌道はこの上なく奇妙（baroque）な筋道で結び付いていることが分かります。こういった人工物相手でも，人間は友情のテリトリーを発展させるのです。

今後，特定の人工物は，愛着があって感情的に依存した状態にありたいという欲求を満たすだけでなく，愛着的依存の予想外のあり方を新たに生み出すサイクルに参入することになります。これらの親密なロボットは弱さの人工物であり，一緒にいて弱い存在であることが許容され，それゆえ友だちでいられるのです。こうした人工物相手の場合は，予想のつかない形での共同依存が可能となります。人間と同じ空間を共有するので，これらの愛着的な人工物は友だちであるということ以上に，友情の受け手であって，人間が友だちになりえる本質をもったものです。意味を生成するこれらの人工物は，宗教上の偶像の真正なる継承者として現れ，自分の所有者というだけでなく，そればかりか崇拝してくれ，一緒に付き合ってくれた人々に対しても，強い愛着依存の状態をもたらします。この付き合う（pratiquer）という言葉は重要です。新しい愛着的な人工物は，過去の道具や機械が使われるようにではなく，付き合うのです。人工物は生活を楽にしてくれるのではなく，生活を共有します。人工物を理解するためには，生物とその錯覚とを区別する明確な境界があると信じるのをやめた方がいいでしょう。歴史をもつということは機械にとって何か意味があるでしょうか？　そのような機械は自らの過去に従って振る舞うことができるでしょうか？　こうした問い，つまり解答を見つけるのに一個の生命を対象にするだけでは済まないような問いは，いくらでも立てられるでしょうが，見つかった解答には生命を一つつくり出すのにとりわけ十分な内実と深さがあるのではないでしょうか。

7. ペットロボットと意味を生成する人工物とは，戦後日本の民間の想像力に深く根ざしていたため，日本で発展する可能性が高かったのです。1951年，手塚治虫は鉄腕アトムを作り出しました。これは，原子の心臓をもつ小さな「ロボット」で，日本の漫画やアニメのなかで最も人気の高い主人公の一人になりました。天馬博士は，放ったらかしにしていた息子を事故で亡くしたとき，代わりのロボットを作ろうとします。博士はこのロボットに原子力の心臓と愛情に満ちたプログラムを実装します。狂気の博士は，人工物を愛し始めます。しかし，これは失望に終わり，ロボットはサーカスに売り飛ばされます。生みの親に捨てられたこのロボットは，新しい家族に迎えられます。この人気を博した漫画は1963年にアニメ化され，アストロボーイという名前で輸出されます。日本の架空の人物ロボットの第二の典型は，

1958年，横山光輝によって生み出されます。巨大な遠隔操縦ロボット鉄人28号は，自然と人工物の中間に位置し，子どもと大人の中間でもあるようなはっきりしない生き物が好きな日本人の人気者になります。ロボット動物，大きな目をした玩具の動くぬいぐるみ，育てるべき仮想ヒヨコ，世話すべき人工物は衝撃的な成功を収めました。これらは可愛いのです。可愛く，どこまでも中性的で，無防備に見え，どこまでも子どもの世界に属します。日本のフィクション作品の中で増殖するこれらのロボットは，人間のコミュニティに完全に組み込まれています[13]。これらの知的な人工物は，人間にとって脅威になることはありません。それどころか，人間との友情にまで及ぶ可能性のある，数多くの感情的な深いつながりを発達させます。ポケモンがひとたび捕えられたら，従順な友だちになるのは偶然ではありません。このような対角線上の友情は，日本では誰にも衝撃を与えません。ただし，生き物と人工物を組み合わせたサイボーグは，これらの感情的なつながりから除外されたままです。

西洋諸国では，人間と人工物の友情が共有されることはまれであり，その受け入れはデリケートです。人と機械の関係の架空の歴史は，断固として対立的です。知性をもった人工物は，同盟者としてよりも脅威として表現されることが多く，したがって，潜在的な仲間として見られる機会は少ないのです。このテーマに関する最初のフィクションの一つであるメアリー・シェリーの『フランケンシュタイン』は，創造者に最後には反抗することになる人工的な生き物を登場させます。これはカレル・チャペックの小説『*R.U.R.*』のテーマでもあります。この二つのケースでは，無視されることが多いのですが，心理学者のセルジュ・ルクレールが示した重要なテーマ，すなわち愛が出てきます。この時代以降，人間－機械のコンフリクトは和解よりむしろ強くなり，人間と機械の愛情関係は問題外のこととなります。20世紀前半でも，状況はすでに非常に否定的な様相で描かれていました。『*The Machine Stops*』（1909）で，エドワード・M・フォレスターは，地球と人間を制御して奴隷制にした中枢機械について述べていますし，マイケル・ウィリアムズは1919年に『*The Mind Machine*』を書き，都市で権力を握る生きた機械を描いています。1926年に，エドモンド・ハミルトンは，巨大ロボットの軍隊をつくる金属製の脳を登場させました。シドニー・ファウラー・ライトは1929年に，機械が人間の機能を引き継ぎ，最終的に人間を排除するという恐ろしい物語を書いています。

13　フィクションはヒトの生態系の一部である。したがって，動物であれ機械であれヒトと共に生活するものの生態系の一部である。動物には物語が分からない，自らの環境を支配する生物物理の法則も理解できないという声が上がるかもしれないが，この反論はそれゆえ大した効果がない。

ライオネル・ブリトンの1930年のヴィジョンも似たりよったりです。ブリトンは地球上の唯一の知性になる巨大な機械仕掛けの脳を想像しているのです。多くの同様のフィクションが今日までこれらの延長上にあります。

人間と機械の関係についてのこの悲観的で暴力的な観念は，哲学に深刻な影響を与えました。ハンナ・アーレントの驚愕すべき声明文は少しでも根拠があると思えるなら，人工知能を扱う研究所の壁という壁に貼り出される必要があります。「しかし，宇宙の住民として行動し始めた地上の生き物である私たちは，もはや理解すること，つまり，私たちができることを考え，表現することができなくなるかもしれない。こうした状況では，私たちの思考の物質的および身体的条件を形づくっている脳がもはや私たちに従うことができず，これからは私たちの代わりに考え，話すための機械が本当に必要になるかもしれない[14]」。機械が人間を疎外するというのは，人工的なものだからではなく，私たちの生活に先例のない闇をもたらすと思われるからなのです。もっとも，その闇は私たちがつくったものではありますが。このドイツの哲学者の根源的な直観は，来るべきこれからの生活についてのすべての考察の文脈において考える価値があります。

ロマン派の人たちは，機械が人生を過度に単純化すると考えて，機械を恐れました。それに対して，今日では，まったく違う機械が登場して，ある面では文字どおり理解不能なほど人生を複雑で困難にしているように見えます。それらは望ましくないものになってきています。ハンナ・アーレントは，機械なくしては自分自身と意思の疎通ができなくなる可能性が高まっていることから，人間の自己喪失について述べています。通常のサイボーグは，人間と技術の道具的関係に基づいて形成されています。アーレントは，別の様相をもったサイボーグが徐々に作られつつあると言います。技術は，活動の力や行為主体が作り出す表象を同時に一変させてしまう人工補助器官（prothèse）を介して，生物を再構築する場となります。未来の技術は，単純に功利的な拡張を提供することに甘んじる代わりに，生物そのものを改変します。機械がもたらしてくれる動物の模倣とそこに見られる非常に大きな喜びによって，人間が惑わされる可能性は否定できません。人形劇は言うまでもなく，ぬいぐるみは子どもに大きな影響を与えます。これらの意味を生み出し，愛情のこもった新しい機械の出現により，人間は，人類固有の特定のアイデンティティを維持するために，動物との新しい絆と連繋を模索することを余儀なくされています。人間は新しい連繋を思いつかなくてはなりません。新しい社会的関係を発明する必要があります。新しい愛着の形を夢見なければならないのです。

14　H. Arendt, *Condition de l'homme moderne, op. cit.*, p. 10.

8. この「動物化した機械」に直面すると，人間は忘れられた動物との関係を更新して，自分のアイデンティティを維持し，再発見することでそれを強化することができます。動物と機械の関係は，動物と人間の関係と同じで，重ね合わせることはできません。数学者モーペルテュイは「もし動物が単なる機械であるとしても，それらを殺すことは道徳にはどうということはないが，ばかげた行為である。それは時計を壊すようなものだ[15]」とすでに述べています。物は壊れます。動物は死にます。前者は修繕可能ですが，後者は修復できません。私たちの話し方と行動の様式は，物と動物の根本的な違いをはっきりさせます。しかし，このことから，無生物と生物とを私たちが生まれながらにして峻別できるという結論を導き出すのは危険です。私たちの根本的な区別，いやむしろ根本的に見えるような区別は，すべての文化に優雅な普遍的法則として見られるわけではありません。たとえば，人類学者フィリップ・デスコーラによって記述された赤道アマゾンのアチェア族は，まったく別な区別を引き出してきます[16]。アチュア族が間違っているとあえて言う者がいるでしょうか？

しかし，もし機械が動物でなくても，人間と動物の関係を大きく変える機械もあります。フランスの芸術家ルイ・ベックは，もっと広く知られてしかるべきですが，幸せなごく少数派《ハッピー・フュー》を除いて，残念ながら知られていません。ベックは，自分の作品に「テクノ・ズー・セミオティクス」（機械動物意味論）という用語を適用して，人間と動物，および異なる種の動物どうしがある文化的な様式の中で相互作用を行える媒介となるような機械を考案することを提案しています。彼の作品で興味を引かれるところは，種間コミュニケーションを大幅に増やすために，人間/動物/機械のハイブリッド・コミュニティを作成するという提案にあります。機械はもはや人間や動物に対抗するようには考えられておらず，そこから生きた行為主体の間に新たな意味が生成されそうな回り道の到達点として考えられています。ベックの態度は興味深いものがあります。人間，人工物，動物の関係の問題を，私たちの哲学が何としてでも押し込めて考えたがる，自然と人工の間の対立という枠組みの外に置いているという点です。さらに，彼の議論は，動物性というものの自然性が，今日きわめて波乱含みであることが明らかになってきているだけに，ますます重要性を増しています。今様のヴィヨン（フランス中世の詩人）はノスタルジーを込めてを歌うかもしれません。「往年の野生動物は今いずこ？」。

---

15 P. L. Moreau de Maupertuis, lettre de 1753, *in* L. Ferry et C. Germé (éd.), *Des animaux et des hommes, op. cit.*, p. 368.

16 P. Descola, *Les Lances du crépuscule*, Paris, Plon, 1994.

結　論

動物どうしの間，人間と動物の間，または人間と人工物の間の友情について話す人は誰でも，ある種の懐疑論，または苛立った敵意をもって迎えられる可能性があります。そのような懐疑論や敵意の態度は明らかに擬人化のそれです。つまり，人間に固有なものを，動物やましてや機械に与えるなどもってのほかであるというわけです。しかし，友情はどちらかというと流動的な概念です。人間の間でも，文化や時代の違いによって意味が大きく異なります。いったい人間以外の生き物にそのような意味を見つけることを想像さえすることができるのでしょうか？　これらの異議に一貫性のないことや，その異議が自壊してしまうことが分かっている人たちにお目にかかることはめったにありません。まさしくそれは，友情という概念がきわめてはかないものであり，さまざまな現象，とりわけ文化的現象の総体を参照先とするからこそ，友情のはじまりとはいわずとも，すくなくとも友情の類似物，相同物を動物に探し求めることが可能になるからなのです。

正確に言えば，友情というものが，人間における生物学的傾向（一人あるいは複数の他の人に特別な形で愛着を寄せるという生まれながらにしてもつ傾向）であると同時に，基本的な文化活動（文化と時代に応じた違ったやり方で，ある人が他の人たちと優先的につながりをもつ）であるからこそ，友情を動物や人工物へと拡張するのは当たり前であるばかりか，それ以上に不可欠であるということなのです。また最後に，友情に対する非心理的なアプローチは今日非常に生産的であると見ることができるからこそ，友情の領域から動物および人工物を除外することは，嘆かわしい知的後退を生み出すことになるということです。

よく知られた箴言に反して，私の友人の友人は必ずしも私の友人であるとは限りません。そしてこのことは，お得意様探しの場合は別にして，めったに見られないケースです。これは厄介な状況です。友情のあるべき姿を根底から考え直す必要があります。友情について語るときに皆が陥りやすい心理学的見方を一度棚上げしない限りは，その実体を明らかにすることは困難です。その心理学的な見方とは，友情というものを，自己の壁を取り払い，近づき，長い期間その生活様式を共にすることと見なすことです。この友情とは心理学的には，私たちの文化の中で共有され，理解されているように，何よりも感情的で，根本的に相互的なものですが，自己の周辺に向けての優先的な投資という，数多ある現象の特別なケースということになります。

私たちは，友情を心理学的プロセスのみで説明するアプローチではなく，選択的愛着（attachment électif）として特徴づける別のアプローチを展開しなければなりません。ある行為主体は，私が友情という言葉に与えた意味で，何ら特別な感情を抱くことなく，他の行為主体と友だちになることができます。それが人間や，犬，象，チンパンジーといった若干の種の動物にだけ見られるケースであるように思われるにしても，そうなのです。友情は，選ばれた個の間に生まれる特定の，必ずしも相互的ではない愛着として説明することができます。その愛着は，功利性だけに立脚するものではありませんが，功利性を排除するものでもまったくありません。愛着は，心理的または社会的でありえます。生物学的でさえありえますが，つまるところ，そのような点はほとんど問題になりません。友情自体は，二人以上の個人が互いどうしのより強い愛着を発達させる選択的な連繫（agencement）として特徴づけられる可能性があります。この場合の他者とは，同じ種または部類のものである理由がなく，したがって，愛着は感情的である義務も負いません。私は快楽（plaisir）という観念が西洋諸国の人々の間における友好関係の強力な構成要素を形づくっていると認めることにやぶさかではありませんが，友好関係において快楽というものはそう思われているほど重要ではありません。

しかし，世界中の人々は苦痛にみちた友情を知っており，これは過去200年間の西洋文学の古典的なテーマにさえなっています。したがって，動物間，人間と動物の間，動物と人工物の間，人工物と人間の間，さらには人工物どうしの間でも，友情を呼び起こすことを妨げるものは何もありません。これらの友情のありようのいくつかが，文化的な観点から依然として私たちにかなり衝撃を与えるとしても，それらが存在しえないなどということはまったくありません。これらの友情のありようについて私たちは口を閉ざしがちですが，その主たる原因は，私たちが習慣的に，それも文化的習慣という理由だけから普段参照している，友情というものについてのとことん心理学的な概念からきているのです。

それだからといって，友情についてのもっぱら功利主義的な見方の罠に陥ることは避けなければなりません。アリストテレスは，カール・シュミットとは対照的に，友情の政治的側面を見逃してはならないことを正しく指摘し，かつ友情を政治的次元に還元するのを拒否した最初の人物でした。カール・シュミットは，敵の敵が友だちだとして，友情を政治的な見方だけで扱いました。しかし，本書で私が関心を持つ問題はいちじるしく違います。というのも，むしろ友情の諸条件こそが私の注意を惹いたからです。友情の維持の条件，友情の拡張の条件，しかも出発点となるのは，動物が関わる状況なのです。

現代は人間の崩壊が特徴です。友情も例外ではまったくありません。この点は重要です。「人間らしさ」に関するあらゆる問題は，次のような根源的信念に基づいています。人間というものの特徴が少なくとも一つはあって，それは他のいかなる動物にも見られないもので，人間を他の動物からはっきり区別するので，人間を動物性そのものから離脱させてしまうほどである，というものです。問題はこの人間の特徴なるものを正確に特定することにあります。ところが，そのような見方は不毛なのです。そこから脱する必要があります。人間は複合体です。それぞれの組み合わせは唯一無二のものですが，その各々の構成要素は，他の行為主体（天然であろうが人工であろうが）の中にも見ることができます。動物は人間のように苦しみ，また喜びを経験することができます。コンピュータは人間よりもはるかにうまく計算できます。しかし，人間は苦しみ，喜びを経験し，そして計算することができます。計算に喜びを感じたり，喜びを経験することに苦しみを味わったりすることさえ起こりえます。私たちが人間を特徴づける基本的な概念のいくつかを再考することによって，人間と人間でないものの間の連繫点を考えることは，私にとってより興味深く，ますます関心がわきます。でもそれがすべてではあるとは限りません。人間は基本的にはあり余る横溢に満ちた行為者です。人間は自分自身を組織立てるときに他の行為者を取り込むという基本的な特性があり，自分の技術と生活様式によってこの特性を発達させています。友情はこうした文脈で再考されなければなりません。友情の特性は，哲学者や芸術家が過去３世紀もの間，捏造してきた心理学的特徴ではありません。すなわち，友情は親しい人との秘匿特権（agencements privilégiés）の様式で構成されます。そして，この近接性の概念も，動物や愛情のある人工物に対し私たちがもつ新しい感情と同様に，情報やコミュニケーションの新しいテクノロジーの関数として再考されなければなりません。

日本語翻訳のためのあとがき

他者に友情をこめて[1]

悪い知らせは，人間は何に対してでもお構いなく好きになることができるということです。良い知らせは，これはそれほど単純ではないということです。逆ではないとしての話ですが。いずれにせよ，注目していいのは友だちのような概念は，人間に限定せず，それを考える慣習的なやり方を脱すれば，意外に複雑なものであることが明らかになるということです。

古代ギリシャ人は，アリストテレスのように，友情を，感情的，倫理的，政治的テーマが混在する典型的な珍しい現象であるとしました。西洋の思想や文学のほとんどがこの轍を踏み続けていることになります。この伝統では，同性・異性を問わず，友人とは私たちが一体化する例外的存在でなければなりません。「他ならぬ私だったので，他ならぬ彼だった」と，友人ラ・ボエシについてモンテーニュは書いています。モンテーニュにとって，ラ・ボエシは死によって絆を断たれるまで友情で結ばれた友人だったのです。古典的伝統では，友情と恋愛は二つの別ものであるとされ，さらに対立さえするものです。この違いは，ラブストーリーの結末には関心をもつが，友情の結末については，同様に劇的であるにもかかわらず，関心を寄せることはほとんどないことの理由の説明になります。レ・リタ・ミツコ[2]が歌うように，「ラブストーリーは悲しく終わるのがつね」であり，小説にこそあまり書かれていませんが，友情の物語の多くについても同じことが言えそうです。上辺だけの友情と狂った愛の間がむしろ連続しているということは，他者への愛着という現象をより興味深くしますが，考えようとするといろいろ気を遣います。微妙に

1　Amicalement autre（他者に友情をこめて）とした。本来ならばAmicalement vôtre（あなたへの友情）と言うべきところだが，皮肉なタイトルだ（もともとはフランス語の手紙で結びに使う常套句をもじっている）。

2　リタ・ミツコは，1980年代にフランスで最も人気のあったポップロックバンドの一つ。

なります。ギリシャ人は友情を人間にのみ，さらには同じ社会的条件の人間にのみ制限することで，友情を大幅に簡略化しました。

動物への愛着は，ギリシャ人が提案している様態の中でにはむしろ無視されています。そのような感情が最近になってようやく現れたというわけではありません。たとえば，アレクサンドロス大王はお気に入りの馬ブケパロスの死を悼みました。しかし，アリストテレスのような哲学者が誰一人としてその愛着の意味を概念化することはありませんでした。中世は古代と同様に友情に魅了されはしましたが，動物はそこに入っていません。特定の動物との強く激しい感情的な関係を築く人間がいなかったと言っているのではありませんが，この問題は哲学者の関心を惹かず，正当な哲学的問題として認められていませんでした。近代ではこの否認がデカルト主義者，特にマールブランシュ神父以降，動物はもはや機械以外の何物とも考えられていません。当時，機械と友だちになることはまったく考えられなかったため，次の3世紀にわたって機械との友情は問題になりませんでした。動物に対する前例のないほどの関心が20世紀の後半に浮上し，動物解放に関するピーター・シンガーの本の出版は，動物福祉への関心の高まりを象徴しています。西洋文化はそれ以降，一般市民の間で動物－機械のパラダイムに取って代わり始めた動物ぬいぐるみのパラダイムに否応なく取り込まれます。この移行は容易でした。というのも市民たちは動物－機械にあまり馴染みがなかったからです。この交替が動物に本当に利をもたらしたかどうかは定かではありませんが，哲学が依然として対角線の友情という現象に関心を示さないなかで，19世紀以来，フィクション，映画，記録，文学は断固として人間と動物の友情を描き続けています。アリストテレスにとって，真の友情が必然的に対称的であることは事実です。この制約はちょっと重すぎて，人間と動物の間の友情の場合はそれが非対称的であることは分かっていても，その非対称性がどれだけ拡張可能であるかは未解決のままです。あなたのことを，何よりもまずコロッケを与えてくれたり，痒みの発生源であると見なすあなたの猫友だちは，偽の友だち[3]ではないでしょうか？

三つの問題が従来の伝統的な枠組みを超えようとする友好的関係という点で，特に関心が深いところです。最初は何が動物の友だちということに関わっているの

3　「偽の友だち」（faux ami）は，もともとは綴りが同じでも，違った言語ではまったく意味が異なってしまう単語同士の関係を言う。私はここで，「偽の友だち」の二つの考えられる意味，つまり友だちではない友だちと，友だちという意味の当てはまらなくなった友だちという言葉で遊んでいる。

かを理解することです。二つ目は，この現象に対する西洋哲学の沈黙を説明することです。三つ目は，友情の場を動物に対してだけでなく，人間以外のものにどれだけ開放できるかを知ることです。三つの問題は明らかに関連しています。動物が友だちになれることは無意味ではないのです。そのように門戸を開放することは，友情のありかたを根本から変えます。友情がもう人間だけに約束されなくなる時から，友情は意味を変え，これまでにない新たな実践の仕方を要求するのです。そもそも人間だけに約束されていたからこそ意味のあった友情の観念を，動物にまで適用しようとするのは不毛でしょう。友情が人間同士だけに関わるものではなくなった瞬間から，根源的な何かが変わったのです。友人とは，モンテーニュが言うように，自分自身に似た人間のことではありません。自分になろうとして，そして場合によっては違った風に自分になろうとして，愛着を覚える相手のことなのです。これは著しく違います。私は私の友人たちではないのですが，友人は私が私であることに大きく寄与してくれています。ここでは，社会的関係だけでなく，実存的関係についても語る必要があるでしょう。人生を変えようとする人は友だちを換えようとする傾向があります。友情というものが人間に限定されなくなれば，著しく多様化することになるでしょう。私たちには人間と友だちであるという場合と動物と友だちであるという場合では，同じ友だちのあり方ではありませんし，ましてやそれが二人の異なる人との場合も双方同じかたちの友だちではありません。さらに言えば，私たちが動物と友だちになることもできるとき，私たちはおそらく人間とは違った友だちです。結局のところ，ある友情を他の別の友情に重ね合わせることはできず，この差異性は友情とは何かということの本質の一部となっています。ひとたび動物と友だちになる可能性を身につけたら，あなたが植物，樹木，菌類，ウイルス，細菌，山，川，そして人工物と友だちになれない理由はありません。実際，不思議なことに，人間を超えた友情というものの概念化は，まだ大部分が未開拓の状態です。本書は，この問題を明確かつ完全に扱った最初の哲学的エッセイの一つです。人類を記述した文献にはそのような友情がたくさんありますが，人類学者は抽象的な問題に対処することにためらいがあり，哲学者は純粋に西洋的な空間を離れることに消極的なままです。

しかし，そのような知的状況の変化を待たずとも，私たちの友情概念が根を下ろしている確信にはひびが入り始めています。子どもたちの「もふもふ《ドゥドゥ》」の占める位置を見れば分かることで，典型的です。もふもふは幼い子どもが愛着をもつ，形こそないぬいぐるみです。小児精神分析医のドナルド・ウィニコットは，後世にまで受け継がれている説明をしました。ウィニコットにとって，これらのかわいいおもちゃは子どもが大人の領域に入ることを可能にする「過渡的対象物」だと言うのです。この説明は，広く承認されてはいますが，まったく根拠がありません。その見方に賛同する人々は，そのようなぬいぐるみを自らの存在に伴わせるのは子どもだけではないこと，子どもたちが，ぬいぐるみに対してもつ関係は，ほとんど道具との関係とは言えない，ということが分からない振りをしています。ですが道具としての関係ではないそのようなぬいぐるみがなぜ一種の友だちとして理解されてはいけないのでしょうか？　同様の状況が，非常に多くの幼い子どもたちが話す「架空の仲間」に関連しています。心理学者は，子どもたちが自分たちの仲間が本物ではないことを知っているのだ，と言って安心しようとするのですが，明らかにことはそれほど単純ではありません。大多数の作家がもつ架空のキャラクターとの複雑なつながりは，その考察枠には含まれていません。なぜでしょう？　非常に成功している「ダッチワイフ」に関しては，多少ともまじめな研究によれば，人形がきわめて速やかに「人という種」に昇格し，言い換えれば友人の種になり，性的なものでなくなることを示しています。事物相手では思いもよらない，関わりに満ちた感情のこもった複雑さの方を選んだことになるのです。とは言え，逆もまた然りで，自ら「友だち」と称するすべてが必ずしも友だちであるとは限りません。フェイスブックの「友だち」を友だちであると見なすのは，悲惨なまでにおめでたいということを証し出てるようなものです。友情の歴史はまだ書かれておらず，驚きに満ちた発見がまだまだあることは間違いありません。

監訳者あとがき

この本はドミニク・レステル（Dominique Lestel）さんの *Les Amis de mes Amis*（Seuil 2007）（「友だちの友だち」）の翻訳である。

ドミニク・レステルさんは1961年パリ生まれ，育ちもパリで，大学もソルボンヌ，勤務先もエコール・ノルマルの認知科学，自然史博物館で，生粋のパリジャンである。元々は哲学者なのだが，オランウータンの研究をしていた時期があり，現在は日本のロボテクス関係の研究者とも共同研究を行なっている。専門は「哲学的動物行動学」で，本邦では知られていないが，動物行動学，認知科学，民族学，計算機科学，ロボテクスなどを統合した真にフランス的な学問である。ドミニクさんの書作で訳されたものに『ハイブリッドな共同体』（現代思想「特集―人間／動物の分割線 2019年7月号　青土社」）や『肉食の哲学』（大辻都訳　左右社 2020）がある。

最初に彼に会ったのは，パリで開催したエコール・ノルマルと慶應義塾大学・21世紀COEの共同シンポジウムだったと思う。その後，一緒に国際シンポジウムを企画したり，慶應の大学院の集中講義に招聘したり，逆にエコール・ノルマルの集中講義に私が招聘されたりする交流が続いている。日本好きで頻繁に訪日している。仏人であるから無論美食家で，会えば一緒に食事を楽しむ。仏人であるから無論米国好きではなく，ある時，カルティエ・ラタンのレストランで昼食を摂っていたら，ポテト・フライを指して，「英語でなんと言うか知っているか」と聞くので，「フレンチ・フライだろう」と答えると，「違う，これはフリーダム・フライだ」というので二人で大笑いした。お忘れの方もあるかと思うが，米国がイラク侵攻を決めた時にフランスは参戦しなかった。ブッシュはフランスを解放してやったのを忘れたのかと激怒し，「これからはフレンチ・フライではなくフリーダム・フライと呼ぼう」と宣言したのだったのである。

かくの如く座談の名手であり，話は楽しいのだが，学問的にはところどころ分からないところがあった。今回，翻訳に携わって，ある程度彼の体系が分かった。彼は自ら「哲学的動物行動学者」と名乗っているように動物行動学をよく理解しているばかりでなく，実際に自分自身で動物実験を行なってもいる。動物行動学者の書いたものを読んで，解釈するだけの哲学者とは一味も二味も違う。しかし，彼の眼目は文字どおり「哲学的」というところにある。経験科学である動物行動学の知見から動物と人間の間の論理的な関係を模索している。

ドミニクは動物との感情の共有をいわば直観的に認めるが，友情について心理的アプローチを取らない。つまり，好きだといった情動／感情を持ち込まない。彼は選択的愛着が友情を示すものだという。愛着の原語は attachment であるが，愛着という日本語にはどうしても情動が入っている印象が否めないので，若干説明をする必要があるかと思う。友達関係とは，これといった功利的な，あるいは適応的な理由なしに，選択的にある個体と一緒にいることで，政治的，血縁選択的理由だけで一緒にいるのではない。これは現象学的理解といってもよいのかもしれないし，直接引用されてはいないが，ハイデッガーが動物との関係を「同行（mitgehen)」としていることを意識しているのかもしれない。「一緒にいる」ということは空間と時間の共有を意味する。この空間の中で人間と動物の友達関係は「非対称」で(つまり同等の関係ではなく)，斜め対角線の関係であると表現される。人間は動物にアイデンテイティを与え，ナレティィヴな人格を与えるが，その逆はない。動物との関係を通じての人間の理解というのは（ドミニクはこの本では言及していないが）マルチ・スピーシーズ人類学と相通ずるものがある。この非対称の友達関係は人工物にも拡張し得る。したがって，ドミニクは機械との友情の可能性を否定しているわけではない。

なぜ人間は動物を求めるのか？　ドミニクはそれには人間の存在論的孤独があるのだという。人間は近縁種を持たない。ネアンデルタールもフローレス人も絶滅してしまった。人間が地球外の知的生命体を求めてやまないのも同じ理由だろう。

最終章にあるように，私たちは好むと好まざるとにかかわらず，人間，動物，機械が組み込まれた社会にいる。ドミニクは人間と動物の媒介としての機械の技術的役割にも注目している。もはや，人間とそれ以外を峻別するデカルト的立場を維持することはできない。人間，動物，機械の共同体の理解が困難なのは，私たちがヘテロジニアスな共同体における統治や民主主義のあり方をあまり考えてこなかったからである。わが国では 1980 年代に北海道大学の戸田正直を中心に NENE-HIE システムと言われるものでコンピュータの感情を研究した経緯があるが，ドミニクが提起しているような哲学的な深い論議はされなかったように思う。我が国では技術の進歩に比して，人文科学的な論考の進歩が跛行していると感じるのは監訳者ばかりではあるまい。この本がそのような論考の一助となれば幸いである。

出版に際しては，ナカニシヤ出版の編集部員の宍倉とパリ在住の若林がほぼ独立に翻訳し，それを，目に一丁字のフランス語もない渡辺が英語版を参照しつつ蛮勇を揮って監修した。しかし，いかな蛮勇を持ってしても腑に落ちないところがあり，仏文学の泰斗鷲見洋一さんに改めて監訳の労をとっていただいた。有難いことである。宍倉さんには面倒な校正をやり遂げていただいたし，若林さんがパリにおられなかったら，そもそもこの翻訳をしようという発想に到らなかった。それ以外にも，神経科学者／心理学者で仏人のヨセフ・ブシュキワさん，倫理学者の樽井正義さん，ギリシャ語については古典学の西村太良さんにも助けていただいた。心から謝意を表します。もちろん，文章のすべての責任は独断と偏見で監訳した野人・渡辺にあります。諸賢のご叱正をお待ちします。

令和 4 年 7 月
渡辺茂

監訳者／訳者紹介

渡辺　茂（わたなべ しげる）。1948年生まれ。慶應義塾大学名誉教授。専門は比較神経認知神経科学。

著書：『認知の起源をさぐる』（岩波書店），『脳科学と心の進化』（岩波書店），『動物に心は必要か』（東京大学出版会），『鳥脳力』（化学同人社），『美の起源—アートの行動生物学』（共立出版），『心の比較認知科学』（ミネルヴァ書房），*Evolution of the brain, cognition, and emotion in vertebrates* (Springer), *Emotions of animals and humans* (Springer)。

鷲見洋一（すみ よういち）。1941年生まれ。慶應義塾大学名誉教授。18世紀フランス文学・思想・歴史を研究し，目下「世界図絵」，「共時性」をテーマに独自の歴史記述を目指している。

著書：*Le Neveu de Rameau: caprices et logiques du jeu*, Librairie France Tosho,『翻訳仏文法』上下（ちくま学芸文庫），『「百科全書」と世界図絵』（岩波書店），『一八世紀　近代の臨界 ディドロとモーツアルト』（ぷねうま舎），『「いま・ここ」のポリフォニー』（ぷねうま舎），『編集者ディドロ』（平凡社）。

若林美雪（わかばやし みゆき）フランス・パリ在住

青山学院女子短期大学出身，慶應義塾大学で事務従事後，フランスの食文化に憧れパリへ単独渡仏，現役大学生としてパリ第2大学でフランスの法律修得中。

あなたと動物と機械と

新たな共同体のために

2022年11月30日　初版第1刷発行　定価はカヴァーに
表示してあります

原著者　Dominique LESTEL
監訳者　渡辺　茂
　　　　鷲見洋一
訳　者　若林美雪
発行者　中西　良
発行所　株式会社ナカニシヤ出版
〒606-8161　京都市左京区一乗寺木ノ本町15番地
Telephone 075-723-0111
Facsimile 075-723-0095
Website http://www.nakanishiya.co.jp/
Email　iihon-ippai@nakanishiya.co.jp
郵便振替　01030-0-13128

装幀＝白沢　正／印刷・製本＝創栄図書印刷株式会社

Printed in Japan

ISBN978-4-7795-1604-7 C0010